MARIE-CLAUDE LORTIE

Critique gastronomique à La Presse

RESTOS
MONTRÉAL
2015

LES PETITES ET GRANDES TABLES
DE LA MÉTROPOLE ET DES ENVIRONS

8ᵉ ÉDITION

LES ÉDITIONS **LA PRESSE**

Catalogage avant publication de Bibliothèque et Archives nationales
du Québec et Bibliothèque et Archives Canada

Lortie, Marie-Claude
Restos Montréal
Publ. antérieurement sous le titre : Solutions restos. 2008.
Comprend un index.
ISSN 1922-6365
ISBN 978-2-89705-292-8
1. Restaurants - Québec (Province) - Montréal, Région de - Répertoires.
I. Titre. II. Titre : Solutions restos.
TX907.5.C22M6   647.95714'28   C2010-300841-1

Présidente Caroline Jamet
Directreur de l'édition Éric Fourlanty
Directrice de la commercialisation Sandrine Donkers
Responsable gestion de la production Carla Menza
Communications Marie-Pierre Hamel

Éditrice déléguée Sylvie Latour
Graphisme de la couverture et de la grille intérieure Yanick Nolet
Mise en page Audrey Guardia
Révision Sophie Sainte-Marie

L'éditeur bénéficie du soutien de la Société de développement des entre-
prises culturelles du Québec (SODEC) pour son programme d'édition et
pour ses activités de promotion.

L'éditeur remercie le gouvernement du Québec de l'aide financière accordée
à l'édition de cet ouvrage par l'entremise du Programme de crédit d'impôt
pour l'édition de livres, administré par la SODEC.

Nous reconnaissons l'aide financière du gouvernement du Canada par
l'entremise du fonds du livre du Canada (FLC).

Nous remercions le Conseil des arts du Canada de l'aide accordée à notre
programme de publication.

LES ÉDITIONS **LA PRESSE**
Les Éditions La Presse
7, rue Saint-Jacques
Montréal (Québec)
H2Y 1K9

TABLE
DES MATIÈRES

6

7

AVANT-PROPOS

Il n'y a pas, à Montréal, de restaurant aussi chic que l'Eleven Madison Park new-yorkais ou le Meurice de la rue de Rivoli à Paris. Ni aussi innovateur que Noma à Copenhague. Pas de chef sachant cuisiner les légumes aussi bien qu'Alain Passard à l'Arpège à Paris ou des desserts aussi incroyablement créatifs et délicieux que Jordi Roca à l'El Celler de Can Roca à Gérone. Et que dire du talent fou d'Albert Adrià à Barcelone ? Rien de tel ici.

Mais il y a, à Montréal, des restaurants meilleurs, dans leur créneau, que ce que j'ai découvert partout ailleurs où j'ai voyagé.

Mon meilleur plateau de fruits de mer à vie ? *Ex æquo* Brasserie T ! et Au Pied de cochon.

Mon meilleur aïoli ? À la Maison Boulud, dans le jardin du Ritz. On en fait de spectaculaires dans le sud de la France, il va sans dire. Mais ici, il y a l'abondance à l'américaine et l'accès à des produits de luxe plus abordables, qui confèrent au plat une opulence particulière.

La seule fois de ma vie où on m'a servi une glace à un légume — c'est très à la mode dans les restaurants avant-gardistes — et que j'ai vraiment adoré ? C'était chez Toqué ! Une glace au maïs.

La Cabane à sucre Au Pied de cochon ? Une expérience unique, autour d'un produit unique, le sirop d'érable. Jamais vécu nulle part de délire profond aussi délicieux, aussi généreux, en hommage à une tradition.

Olive et Gourmando ? Quand je voyage, je cherche constamment les petits restos où je trouverai le même mélange de café impeccable, viennoiseries fraîches et originales, salades créatives, sandwichs ultra-savoureux, avec ambiance sympathique en prime. Et savez-vous ? Je n'ai jamais rien trouvé de tel de San Francisco à Londres, de Paris à Stockholm.

L'immensité *hipster* sympathique du quartier général du Grumman78, la carte des vins canadiens de la Maison Publique, la terrasse de Ma'tine, les sundaes de Nick Hodge au Icehouse, la convivialité totale de la Pizzeria Gema, le gâteau aux carottes du Titanic ou celui au café de Patrice Pâtissier, la salade de papaye des Satay Brothers, le chou-fleur rôti du Vin Papillon, dans le jardin, en août. Le sourire de Carmeline chez Hostaria… Autant de plats, de lieux, de moments, qui sont uniques à Montréal, uniques à notre univers. Uniques, point.

C'est de tout cela que je veux vous parler dans ce livre.

Je l'ai dit mille fois. Je n'ai pas de restaurant préféré. Mais toutes sortes de pistes. Parce qu'un repas, c'est une multitude d'éléments qui se conjuguent pour former une grande expérience qui peut aussi bien avoir lieu dans un troquet de bord de route qu'une table étoilée.

Ce guide veut vous aider à trouver des réponses à vos désirs du moment. Le lieu parfait pour un premier tête-à-tête. Un bistro où débarquer en famille. Une jolie table pour charmer les beaux-parents. J'ai rendu visite à de très nombreux restaurants pour faire cette sélection qui n'est pas exhaustive, malheureusement. J'ai oublié de bonnes adresses, c'est sûr ! Pardonnez-moi. On en parlera l'an prochain. Et d'ailleurs, écrivez-moi à *La Presse* ou sur Twitter (@restosmtl2015) pour me faire des suggestions.

Cette année, je suis ravie d'ajouter un élément important au guide : les suggestions de quelques personnalités que j'admire et dont je sais que ce sont des gourmandes et gourmands aux bonnes idées : les écrivaines Rafaële Germain et Kim Thúy, la comédienne Louise Latraverse, l'éditrice Sophie Banford, l'homme d'affaires Alexandre Taillefer et le journaliste-artiste-spécialiste du vélo et de la cuisine hors-norme, Bartek Komorowski.

Comme tous les ans, *Restos Montréal 2015* ne recense pas la totalité des restaurants de Montréal et de sa banlieue. Je fais quelques recommandations, je parle des lieux qui ont un atout bien précis, des coups de cœur.

Puisque toutes les adresses ont mon feu vert, il n'y a pas d'étoiles. Les établissements sont plutôt présentés en catégories, que j'ai peaufinées pour vous aider à vous retrouver parmi mes suggestions.

Les noms des restaurants, les adresses, l'adresse du site Web, s'il y en a un, sont indiqués. Pour les horaires, on prône une approche « premier coup d'œil » : est-ce ouvert pour le lunch, est-ce fermé le lundi ou le dimanche, y a-t-il des brunchs ? Nous ne pouvons pas préciser les heures d'ouverture détaillées des restaurants, car celles-ci changent parfois en cours d'année. Il est d'ailleurs toujours préférable de vérifier si l'établissement est ouvert – surtout le dimanche et le lundi soir ou pour le lunch – et de réserver.

Côté prix, il est difficile de prédire de quoi aura l'air l'addition puisque cela dépend de ce que l'on choisit et de ce que l'on boit. Une bouteille ou un verre, un dessert, un café ou rien de tout cela. Donc là encore, on préfère vous offrir une idée générale des prix. Un signe de dollar ($) signifie qu'il vous en coûtera probablement moins de 25 $ par personne pour un repas moyen, avant taxes et service. Généralement, dans ce cas-là, il n'y a pas de vin au menu. Deux signes de dollar $$ indiquent que le repas coûtera probablement de 25 $ à 65 $ par personne, là encore avant taxes et service, mais avec un peu de vin cette fois. Trois signes de dollar ($$$) signifient qu'il faudra dépenser davantage.

Mais ces symboles sont essentiellement des ordres de grandeur. On peut dépenser beaucoup dans un établissement aux prix moyens en commandant plusieurs bouteilles de vin et en multipliant les à-côtés. Tout comme on peut garder raisonnable l'addition dans un restaurant chic en commandant du vin au verre, en buvant l'eau du robinet (choix plus écologique en plus) et en prenant la formule s'il y en a une… On peut aussi partager un seul dessert, éviter le café qui gonfle l'addition. Certaines personnes peuvent sortir d'un restaurant avec une addition trois fois plus élevée que celle de leurs voisins de table.

Je tiens à préciser que, comme c'est le cas quand j'écris dans *La Presse*, lorsque je vais dans un restaurant pour en faire la critique, ces visites se font à l'improviste. Je ne m'annonce pas, je réserve sous un autre nom et je paie l'addition.

Sur ce, bonne lecture, bonnes découvertes et, comme toujours, bon appétit !

Marie-Claude Lortie

QUEL GENRE DE MOMENT AVEZ-VOUS EN TÊTE ?

Toqué !

Le Toqué ! n'est pas aussi décoiffant que les modernistes espagnols ou délicieusement surprenant que les nordiques nouveaux, mais c'est une institution dont Montréal peut être fière, où l'on passera une délicieuse soirée, d'une grande classe. Les produits sont hors pair, les techniques aussi. Et même si certains lui reprochent de mettre trop d'ingrédients dans l'assiette, sachez qu'ils seront locaux, probablement élevés ou récoltés par de petits producteurs indépendants, québécois, avec une approche contemporaine allumée, riche, vive. Le chef et copropriétaire Normand Laprise est un peu le père de la gastronomie actuelle d'ici. À essayer. Que ce soit pour un grand dîner, un lunch ou même une assiette au bar.

Le chef Normand Laprise a été un pionnier, parmi les cuisiniers d'ici, de l'utilisation de produits de la mer uniquement issus de la pêche durable. À ne pas manquer : le thon rouge pêché à la ligne, qu'il va pratiquement chercher lui-même en Gaspésie.

- Service hors pair.
- Ambiance feutrée permettant les discussions intimes.
- Niveau de décibels bas.
- Carte des vins recherchée, avec grands classiques et petits producteurs indépendants.

$$$

Ouvert le midi, du mardi au vendredi
Ouvert le soir, du mardi au samedi
Fermé le dimanche et le lundi

900, place Jean-Paul-Riopelle, Montréal
514 499-2084
www.restaurant-toque.com

Le Club Chasse et Pêche

Fritto misto de fleurs et crabe des neiges, magret de canard aux prunes, amandes et gingembre... Le menu de cette institution montréalaise, où il faut réserver bien à l'avance, joue constamment entre le poisson et la viande. D'où le nom, peut-être? On aime la cuisine fine et contemporaine du chef Claude Pelletier, on aime le décor rétro confortable et l'ambiance façonnée par le maître d'hôtel et copropriétaire Hubert Marsolais. On aime les œuvres de Nicolas Baier sur les murs, qui viennent donner une touche moderne à l'allure un peu *sixties* des lieux. D'ailleurs, Don Draper – le héros de *Mad Men*! – aurait sûrement lui aussi aimé les desserts de Masami Waki. Du pur bonheur sucré.

Le lieu est connu pour ses soirées de la Saint-Sylvestre, mais on peut aussi y célébrer d'autres grandes occasions.

- Pour un tête-à-tête avec l'amour de sa vie.
- Pour une rencontre avec des clients qui méritent d'être très bien traités.
- Juste pour le dessert, on se pointe un peu tard...
- Très belle carte des vins.

$$$

Ouvert le soir, du mardi au samedi
Fermé le dimanche et le lundi

423, rue Saint-Claude, Montréal
514 861-1112
www.leclubchasseetpeche.com

Maison Boulud

Mettez ensemble la classe de Daniel Boulud et l'opulence à l'ancienne du Ritz, et ça donne ce restaurant qui ne récoltera pas de prix de créativité débridée, mais qui nous accueille avec soin et élégance. Ris de veau croustillants au jus de laurier, avec jambon de Parme et artichauts. Terrine de foie gras marbrée au cacao. Les plats s'ajustent aux produits québécois, mais s'inspirent aussi de ceux servis dans les restaurants new-yorkais du chef Boulud, comme le fameux DBGB burger, avec rillons, morbier et roquette. À ne pas manquer : le fondant au chocolat avec cœur en caramel. On s'assoit dans le solarium, au fond, au bord du jardin, pour profiter de la lumière au lunch, même en plein hiver.

Le Ritz vient de relancer une vieille tradition : le thé à la britannique, l'après-midi, avec sandwichs au pain blanc, scones, etc.

- Pour un repas de grande occasion, à deux.
- Pour un repas en groupe, dans une des salles un peu isolées.
- Le chef Daniel Boulud n'est pas là très souvent, mais on peut alors le voir aux fourneaux.
- Pour prendre un verre de champagne ou un cocktail au bar.
- Pour un lunch d'affaires où l'on veut bien voir et être vu.
- Pour un service impeccable.

$$$

Ouvert le matin, le midi et le soir, tous les jours
Brunch le dimanche

1228, rue Sherbrooke Ouest, Montréal
514 842-4224
www.maisonboulud.com

Bouillon Bilk

Je ne sais pas si on peut dire que le Bouillon Bilk est chic, mais c'est réellement une des bonnes tables de Montréal, le genre de restaurant où l'on s'installe un moment, où l'on se laisse porter par les plats, par le bon vin. Il y a souvent trop d'ingrédients dans l'assiette, mais, mis à part cela, les créations du chef François Nadon sont belles, créatives, souvent remplies de saveurs, sans pour autant être lourdes. Homard, tomate, chili, avocat et nectarine. Hamachi, yuzu, framboise, fenouil, concombre... Une cuisine fraîche qui fait une belle place aux produits. Le tout dans un décor minimaliste moderne. Avec une jolie carte des vins.

En 2014, le Bouillon Bilk a doublé sa superficie, mais reste dans son même bout de rue un peu décalé, aux abords du Quartier des spectacles.

• Pour un lunch d'affaires allumé.

• Pour célébrer une occasion avec un gang d'amis *foodies*.

• Pour un tête-à-tête chic, moderne.

• Choix de boissons intéressantes pour ceux qui ne boivent pas d'alcool : *ginger ale* artisanal, limonade à la coriandre, etc.

$$

Ouvert le midi, du lundi au vendredi
Ouvert le soir, tous les jours

1595, boulevard Saint-Laurent, Montréal
514 845-1595

www.bouillonbilk.com

Le H4C

Saint-Henri est en pleine explosion, et le H4C est probablement sa nouvelle table la plus raffinée. Mais chère aussi. Ce restaurant ouvert par des architectes — le bâtiment est magnifique — est tout en plats fins et en produits savamment triés et choisis. Gravlax de flétan, cannelloni de lapin et foie gras, poulpe, falafel et petits pois… La cuisine du chef Dany Bolduc ravit et contente. Depuis le premier amuse-bouche jusqu'à la fin du repas. On y va pour se faire un cadeau, pour célébrer une grande occasion, pour une soirée chic mais moderne, pas du tout empesée.

À l'été 2014, le restaurant a inauguré sa magnifique terrasse, une des plus jolies à Montréal.

• Pour une grande occasion.

• Pour un repas raffiné et une belle carte des vins, pour impressionner un client ou un amoureux potentiel.

• Pour un tête-à-tête.

• La maison organise des événements spéciaux, comme une semaine végétarienne.

$$$

Ouvert le soir, du mardi au samedi
Brunch le dimanche
Fermé le lundi

38, place Saint-Henri, Montréal
514 316-7234
www.leH4C.com

Laurie Raphaël Montréal

Chaque fois que j'entre dans ce restaurant installé à la mezzanine de l'hôtel Le Germain, je dis à quel point j'adore la tempête de neige en porcelaine signée par l'artiste céramiste Pascale Girardin et suspendue à l'avant du restaurant. Cette œuvre donne le ton à cette table fine qui cherche à rendre hommage au terroir québécois, que ce soit pour ses gourganes ou son foie gras, ses oursins ou son Bleu d'Élizabeth. Évidemment, le chef Daniel Vézina ne peut pas être là tous les soirs – il anime notamment la populaire série *Les Chefs !* à Radio-Canada –, mais ses principes sont appliqués par les chefs délégués, alors que, dans l'établissement de Québec, c'est carrément son fils Raphaël qui a pris les commandes. Un peu de barbe à papa à l'érable avec ça ?

Le menu compte toutes sortes de formules qui permettent d'ajuster le repas selon les goûts et les budgets.

- Pour emmener des visiteurs curieux.
- Pour un repas en tête-à-tête avec l'amour de sa vie ou un client important.
- Atmosphère feutrée qui permet la conversation.
- Pour un lunch d'affaires au-dessus de la moyenne.
- On peut manger seul au bar si on est, par exemple, de passage en ville pour un voyage d'affaires.

$$$

Ouvert le midi, du lundi au vendredi
Ouvert le soir, tous les jours

2050, rue Mansfield, Montréal
514 985-6072
www.laurieraphael.com

Au Pied de cochon

Le chef Martin Picard est convaincu que je n'ai que des amis de l'extérieur du pays, mais, en fait, c'est parce que, chaque fois que j'ai des amis ou collègues en visite au Québec, je les emmène au Pied de cochon. Cette adresse est à mon avis incontournable pour comprendre les traditions culinaires d'ici. Ragoût de pattes, poutine, tourtière, ketchup aux fruits, tarte au sucre… La cuisine de mon enfance y est réinventée en mieux, en beaucoup mieux, par Picard et son équipe, dont Emily Homsy, la chef, qui mène la barque avec une main de fer.

Il ne faut pas rater les plateaux de fruits de mer, l'os à moelle aux œufs de poisson, un classique revisité – version ogre –, et tous les desserts au sirop d'érable. Oh, et la carte des vins est vraiment très belle aussi !

- Un classique montréalais pour des amis ou collègues en visite.
- Pas idéal pour les végétaliens ni pour les obsédés des calories.
- Il y en a toujours trop ; pas grave, on rapporte à la maison, et en plus c'est très tendance.
- Niveau de bruit important.
- On s'assoit au bar pour l'expérience totale.

$$$

Ouvert le soir, du mercredi au dimanche
Fermé le lundi et le mardi

536, avenue Duluth Est, Montréal
514 281-1114
www.restaurantaupieddecochon.ca

Joe Beef

Joe Beef est un lieu unique que les chefs David McMillan et Frédéric Morin ont décidé de bâtir sans compromis, sans chichi, en y déclinant une cuisine inspirée des grands classiques français, dans un contexte montréalais contemporain. Huîtres toujours impeccables, viandes et légumes apprêtés richement, légumes dont plusieurs viennent du potager aménagé à l'arrière du restaurant. Pour le vin, on demande conseil directement à la sommelière Vanya, qui puisera dans une cave garnie autant de grands crus classiques que de vins naturels de jeunes producteurs indépendants. Décor rustique et chaleureux, rempli d'objets rétro.

Joe Beef compte aussi deux petits frères, le Vin Papillon et le Liverpool House.

- Pour un repas entre amis ou une sortie en couple si on a envie de voir du monde.
- Il faut réserver bien à l'avance.
- Sans réservation, on peut parfois s'asseoir au bar.
- Pour célébrer une occasion joyeuse en groupe.

$$$

Ouvert le soir, du mardi au samedi
Fermé le dimanche et le lundi

2491, rue Notre-Dame Ouest, Montréal
514 935-6504
www.joebeef.ca

Le Serpent

Installé dans la Fonderie Darling, là où était autrefois le casse-croûte le Cluny, le Serpent est le nouvel établissement de l'équipe qui est derrière le Club Chasse et Pêche et le Filet. On y mange une cuisine d'inspiration italienne riche et savoureuse, et le menu peut tout aussi bien proposer une salade aux betteraves et aux pacanes qu'un risotto au homard et à la betterave jaune. Mais au-delà des plats, c'est surtout un amalgame de l'endroit et de l'expérience qui fait qu'on a envie d'y revenir. Atmosphère animée, service précis, carte des vins pas très longue, mais rigoureusement sélectionnée. Et un lieu postindustriel magique avec plafonds vertigineux et œuvres d'art magistrales.

Le restaurant compte quelques belles œuvres d'art. Ma préférée est celle de Pierre Dorion, accrochée au fond de la salle, qui a la douceur de la lumière de la toute fin d'un coucher de soleil en plein été.

- Pour un lunch d'affaires, surtout qu'on est au cœur de la Cité du multimédia.
- Pour un repas vivant avec des amis.
- Pour voir du monde et bien manger.
- Niveau de bruit élevé, donc endroit peu propice aux tête-à-tête intimes.

$$$

Ouvert le midi, du mardi au vendredi
Ouvert le soir, du lundi au samedi
Fermé le dimanche

257, rue Prince, Montréal
514 316-4666
www.leserpent.ca

Impasto

Si ça vous tente de passer une belle soirée en gang, à boire de bons crus et à manger de la cuisine italienne savoureuse, dans une atmosphère vivante sympathique, allez chez Impasto, le restaurant de l'animateur Stefano Faita et du chef Michele Forgione, dans la Petite-Italie. Stefano — le gars de la télé, des livres de recettes — est le fils d'Elena Faita, de la Quincaillerie Dante, reconnue pour ses talents de cuisinière. Bref, une excellente école ! Chez Impasto, le décor est celui d'un bistro italien urbain. Au menu : de la cuisine italienne classique, mais recherchée, contemporaine, jamais bâclée. On aime les produits de grande qualité, les plats doudous, les pâtes maison. Et la solide carte des vins italiens.

Impasto compte maintenant une petite sœur : la Pizzeria Gema, de l'autre côté de la rue.

- On y va en famille.
- On y va entre amis.
- Atmosphère très sympathique, conviviale.
- Niveau de décibels élevé.
- On peut y aller seul et manger au bar.

$$

Ouvert le midi, le jeudi et le vendredi
Ouvert le soir, du mardi au samedi
Fermé le dimanche et le lundi

48, rue Dante, Montréal
514 508-6508
www.impastomtl.ca

27

Manitoba

Dans ma liste des coups de cœur récents, il y a bien haut le Manitoba, une nouvelle adresse du Mile-Ex qui se consacre à la cuisine du terroir et à la recherche de ses racines autochtones. Coup de cœur d'abord pour un endroit aéré, lumineux, ni trop brut ni trop catalogue. On aime les faux plafonds de bois, le bar en bois torréfié… Au menu, le restaurant lancé par Elisabeth Cardin et Simon Cantin propose produits sauvages ou ancestraux. Croquettes de sagamité, mayonnaise au carcajou, raifort, pousses d'asclépiade au léger goût de crucifère… Vous voyez le topo. On se balade en terres peu connues, mais le résultat est délicieux.

Le Manitoba est dans le Mile-Ex, une zone aux confins de Parc-Ex et du Mile-End, où de plus en plus de petits restaurants s'installent.

- Pour faire découvrir le terroir québécois à des visiteurs ou à ses voisins !
- Pour un repas à deux ou en petit groupe.
- Pour un lunch d'affaires décalé.
- Pour l'humour de la proprio.
- Pour le décor néorustique très réussi.

$$

Ouvert le midi, du mardi au vendredi
Ouvert le soir, du mardi au samedi
Brunch le dimanche
Fermé le lundi

271, rue Saint-Zotique Ouest, Montréal
514 270-8000
www.restaurantmanitoba.com

Les 400 Coups

Le restaurant Les 400 Coups a changé de chefs, mais poursuit sa route et ravit mes amis *foodies* en visite à Montréal, qui m'en parlent sans arrêt. Et ils ont raison. Cuisine fine, carte des vins intéressante, desserts originaux. Les 400 Coups n'est pas un restaurant hyper chic ni hyper cher, mais l'expérience est toujours unique et sans faille. Surtout que le jeune chef Guillaume Cantin va chercher dans les livres ancestraux des recettes patrimoniales québécoises, comme un foie gras lardé, une création des ursulines ! On peut manger aux 400 Coups le jeudi et le vendredi midi.

Amélanchier, sureau, oxalis… Le chef aime travailler avec des produits méconnus du terroir.

• Pour charmer des visiteurs de l'extérieur du pays.

• Pour un repas en tête-à-tête ou en petit groupe.

• On peut manger seul, au bar.

• Pour un choix de vins original.

$$$

Ouvert le midi, le jeudi et le vendredi
Ouvert le soir, du mardi au samedi
Fermé le dimanche et le lundi

400, rue Notre-Dame Est, Montréal
514 985-0400
www.les400coups.ca

Maison Publique

Le chef Derek Dammann travaille depuis toujours avec un objectif clair : cuisiner canadien, avec une démarche qui se démarque. Dammann, par exemple, ne se contente pas d'aller au marché acheter ses primeurs. Il travaille avec la Société-Original – dont un des fondateurs est son ancien associé chez DNA – et sert des poissons de prises secondaires, provenant de la Gaspésie et de la Côte-Nord. En outre, sa carte des vins n'est que canadienne et fait une belle place à ceux de l'Ontario, de la Colombie-Britannique et même du Québec. Bref, même si le célèbre chef britannique Jamie Oliver a investi dans le projet, Dammann s'est enraciné ici, angle Gilford et Marquette, dans un lieu rénové afin de ressembler à s'y méprendre à un pub à l'anglaise.

La maison accepte maintenant les réservations pour les repas du soir. Pas pour le brunch, comme c'est de plus en plus souvent le cas dans toutes sortes de restaurants.

- Pour emmener des visiteurs manger des produits canadiens.

- Pour la carte des vins uniquement canadiens.

- Pour de la cuisine canadienne d'inspiration britannique.

- Pour un repas en groupe. Si le groupe est grand, on peut carrément réserver l'arrière du restaurant.

- Pour un tête-à-tête ou pour manger seul au bar.

$$$

Ouvert le soir, du mercredi au dimanche
Brunch le samedi et le dimanche
Fermé le lundi et le mardi

4720, rue Marquette, Montréal
514 507-0555
www.maisonpublique.com

Laloux

Le Laloux est un classique avec son décor d'inspiration brasserie parisienne, signé feu Luc Laporte, un aménagement qui traverse les années sans prendre une ride, toujours élégant. Mais aux fourneaux, le chef Jonathan Lapierre-Réhayem a choisi de quitter les sentiers battus de la cuisine de brasserie française pour s'amuser avec les ingrédients du terroir d'ici : pintade cuite au foin et jus au thé du Labrador, gourganes, laitue de mer, herbes salées… Les produits québécois répondent présents. On aime la petite terrasse devant le restaurant, pour les beaux jours.

Le chef privilégie depuis longtemps les produits de la mer issus de la pêche durable.

- Pour un tête-à-tête classique ou un repas en petit groupe.

- On emmène ses parents sans problème.

- Niveau de bruit correct.

- Laloux est ouvert le midi toute la semaine : idéal pour un lunch d'affaires.

- Excellente carte des vins.

$$$

Ouvert le midi, du lundi au vendredi
Ouvert le soir, tous les jours

250, avenue des Pins Est, Montréal
514 287-9127
www.laloux.com

Foyer

Nouveau venu à Saint-Henri, le Foyer est une petite pizzeria remplie d'œuvres d'art de qualité — Nicolas Baier, Marc Séguin, etc. — et qui se démarque dans le paquet d'adresses un peu *bling-bling* qui ont ouvert dans ce coin de la ville en 2014, notamment dans Griffintown. Ici, la cuisine est réellement soignée. On aime la salade de kale au melon, les calmars grillés, le prosciutto à la pastèque jaune et autres cantaloups exotiques, la pizza Margherita toute simple. Le service est professionnel, il y a une petite terrasse à l'avant et une cour à l'arrière. Et les proprios, des collectionneurs d'art, connaissent assez de beau et de grand monde qui s'y retrouvent pour nous donner le sentiment d'être au bon endroit au bon moment.

Le menu est composé principalement de pizzas, mais il y a aussi toujours une grillade et un poisson à la carte.

- Pour un repas familial sympathique.
- Pour une sortie du samedi soir en gang.
- Pour manger dehors en hiver.
- Pour les œuvres d'art de qualité qui donnent le sentiment qu'on respecte le client.

$$

Ouvert le midi, du lundi au vendredi
Ouvert le soir, du lundi au samedi
Fermé le dimanche

3532, rue Notre-Dame Ouest, Montréal
514 508-3532
www.ffoyer.com

Majestique

Au moment où j'écris ce guide, le Majestique est l'un des restaurants qui créent le plus gros *buzz* à Montréal. Avec raison. En fait, ce n'est pas réellement un restaurant, mais plutôt un bar. Ou un restaurant nocturne, comme il aime s'appeler. Un bar-resto où l'on peut boire du bon vin et manger quelques plats, qui sont très bien préparés, grâce aux lignes directrices du consultant qui a tout mis en place : nul autre que Charles-Antoine Crête, l'ancien chef de cuisine du Toqué ! Hot dog surdimensionné avec pailles de chou et de poireau frits, tartine de maquereau fumé, huîtres, bourgots au beurre d'algues… Les plats sont là pour être partagés. Rien de formel. Tout est délicieux. Oh, et vous ai-je dit à quel point le décor rétro, pas mal authentique, est vraiment cool ?

Caractéristique intéressante : la cuisine reste ouverte très tard. En revanche, comme c'est un bar, on ne peut pas emmener les enfants, même pas les ados.

- Pour prendre un verre et une bouchée.

- Pour avoir le sentiment d'être au cœur de l'action.

- On y va à deux pour rencontrer du monde, à plusieurs pour passer une jolie soirée.

- Niveau de bruit élevé.

- Carte des vins solide.

$$

Ouvert le soir, tous les jours
Brunch le dimanche

4105, boulevard Saint-Laurent, Montréal
514 439-1850
www.restobarmajestique.com

33

Le Filet

Qu'on soit installé au bar ou à une table dans la salle, l'action ne manque pas au Filet. Et la décoration donne au lieu des airs de boîte de nuit, avec niveau de décibels assorti. En plus, c'est toujours rempli, toujours très vivant. Bref, le Filet est un restaurant où l'on va à la fois très bien manger et voir du monde, se baigner dans une atmosphère. Et c'est délicieux. Omble chevalier, asperges du Québec avec mousse de parmesan, pieuvre grillée avec couscous israélien et citron Meyer, spaghetti au homard, petits pois frais… Et ça continue. L'équipe derrière le Club Chasse et Pêche et le Serpent sait faire rouler de bons restaurants. On aime aussi la carte des vins.

Si vous avez envie de murmurer des mots doux à l'amour de votre vie, ce n'est peut-être pas l'endroit idéal. Si vous avez envie d'être plongé dans l'action et de voir des visages connus, c'est parfait.

- Pour sortir à deux, mais alors on se met côte à côte au bar.

- On peut y aller en groupe, si on est prêt à parler fort.

- Idéal après un spectacle.

- On aime la petite terrasse avec vue sur le parc Jeanne-Mance.

$$$

Ouvert le soir, du mardi au samedi
Fermé le dimanche et lundi

219, avenue du Mont-Royal Ouest, Montréal
514 360-6060
www.lefilet.ca

Hôtel Herman

Cet « hôtel » n'est pas un hôtel, c'est un restaurant. Un lieu moderne avec un bar central, des tourne-disques pour faire jouer des vinyles, beaucoup de bois et des murs de briques, où l'on va prendre un verre en mangeant de petits plats à partager façon tapas, préparés avec soin. Au menu, par exemple, écrevisses du lac Saint-Pierre avec morilles, gourganes et oignon doux, panais rôti et cœur de canard. Aussi plusieurs vins (surtout) naturels. Est-on surpris ? Pas quand on voit les tatouages et la longueur des barbes dans la salle. Un lieu du moment qui fait bien les choses.

On suit la carte qui change constamment en devenant ami avec le resto sur Facebook.

• Si on est seul ou à deux, on s'assoit au bar.

• Une des bonnes adresses du Mile-End.

• Bon rapport qualité-prix.

• Bruyant.

• On y va pour un repas avec un groupe d'amis.

$$

Ouvert le soir, du mercredi au lundi
Fermé le mardi

5171, boulevard Saint-Laurent, Montréal
514 278-7000
www.hotelherman.com

Nora Gray

Ce restaurant est installé aux abords du centre-ville, pas loin de la Petite-Bourgogne, entre toutes sortes de quartiers en développement du sud-ouest. On ne passe pas par là par hasard. On y va volontairement, avec enthousiasme, avant tout parce que c'est chaleureux, sympathique, invitant, avec cette déco années 60 revisitées, les murs recouverts de panneaux de bois et le sourire du maître d'hôtel et copilote, Ryan Gray. Fleurs de courgette, farcies au veau, linguines de farine brûlée, pesto, ricotta maison et artichauts... La cuisine, d'inspiration italienne, est préparée par Emma Cardarelli, une ancienne du Liverpool House, tout comme Gray. Idéal avant ou après une soirée au Centre Bell. Ou pour fuir les lieux communs de Griffintown, non loin.

Très belle carte des vins, avec beaucoup de bouteilles intéressantes à prix moyen.

• Pour manger au bar, seul ou à deux.

• Niveau de décibels élevé.

• Pour un repas en petit groupe.

• Genre de lieu où tout le monde finit par parler à tout le monde. Très sympathique.

• On aime les œuvres d'art au mur en particulier, et la déco en général.

$$

Ouvert le soir, du mardi au samedi
Fermé le dimanche et le lundi

1391, rue Saint-Jacques Ouest, Montréal
514 419-6672
www.noragray.com

Lawrence

Je sais que c'est bruyant et rempli de groupes qui vont fêter ensemble une joyeuse occasion, et que le tout n'est pas très propice aux échanges sulfureux ou autres chuchotements à l'oreille, mais j'ai toujours trouvé la décoration du Lawrence très romantique, surtout l'éclairage, et il est agréable d'y aller à deux pour se regarder dans les yeux. En arrivant, si on doit attendre sa table, on s'enfonce dans un canapé en buvant un premier verre de vin. Pour le repas, on se laisse porter par les suggestions du jour. Barbue noircie, concombre, carotte et yaourt. Saumon sauvage, vin rouge, raifort… Jamais prévisible. Toujours savoureux. Et on adore le brunch du week-end. Beignes au chocolat, scones à la crème épaisse et confiture. Juste assez *british*.

Pour connaître le menu du jour, on suit le restaurant sur Twitter à @lawrencefood.

- Pour un repas en petit groupe ou en tête-à-tête.
- Pour le lunch ou le brunch.
- On est au cœur du quartier *hipster* de Montréal.
- Pour un lunch d'affaires moderne.

$$

Ouvert le midi, du mardi au dimanche
Ouvert le soir, du mardi au samedi
Brunch le samedi et le dimanche
Fermé le lundi

5201, boulevard Saint-Laurent, Montréal
514 503-1070
www.lawrencerestaurant.com

Salmigondis

J'aime la carte des vins, j'aime le décor, j'aime la terrasse avec toutes les herbes fraîches qui poussent un peu partout, j'aime beaucoup d'éléments de ce petit restaurant qui s'est installé à deux pas du marché Jean-Talon et offre une cuisine du marché. Menu simple, mais raffiné. Ceviche de cardeau, pintade de trois façons, flan au caramel… Salmigondis signifie mélangé, entremêlé, donc on ne doit pas s'attendre à une ligne directrice claire, mais plutôt à une cuisine du moment qui laisse place aux influences diverses. À ne pas rater : le brunch le week-end.

La terrasse doucement éclairée de ce restaurant est un des endroits les plus romantiques en ville.

- Pour un lunch d'affaires ou avec une amie.
- Pour un repas du soir raffiné et convivial.
- Pour la très jolie terrasse.
- Pour aller manger avant ou après une balade au marché Jean-Talon.
- Une des adresses du moment.

$$

Ouvert le midi et le soir, du mercredi au dimanche
Brunch le samedi et le dimanche
Fermé le lundi et le mardi

6896, rue Saint-Dominique, Montréal
514 564-3842
www.salmigondis.ca

Pullman

Bons crus, bons sommeliers, lieu spectaculaire et bonne cuisine. La recette du Pullman marche et traverse les années. On y mange toutes sortes de petits plats, façon tapas, un menu établi jadis par le chef Stelio Perombelon, qui lui aussi sait durer. Miniburgers au bison, haricots verts travaillés, crevettes et chorizo. Tout est classique. Savoureux. Et la carte des vins est vraiment très intéressante et expliquée par des gens qui savent de quoi ils parlent. On aime.

Dans le hall principal, à l'avant, un immense lustre fait de verres de vin continue d'être aussi impressionnant, élégant, évocateur, année après année…

- Si vous avez plus de 40 ans et cherchez un lieu de 5 à 7 cool et intelligent.

- Ouvert tard et proche du Quartier des spectacles, on peut aller y prendre une bouchée après une pièce de théâtre ou un concert.

- Pour de très bons vins.

- Pour croiser une faune intéressante, autant en début de soirée que tard, après la fermeture des restaurants et des théâtres.

- Pour se retrouver en groupe et moduler la commande au gré de l'appétit de chacun.

$$ ou $$$

Ouvert le soir, tous les jours

3424, avenue du Parc, Montréal
514 288-7779
www.pullman-mtl.com

Buvette chez Simone

Grande sœur du très populaire Furco, cette Buvette — créée par l'équipe formée par le chef Éric Bélanger et le spécialiste du vin Michel Bergeron — est presque devenue une institution du Mile-End. C'est un bon bar à vins, de style postindustriel cool, où l'on peut manger des charcuteries et de savoureux plats cuisinés, où l'on peut aller boire un verre après le travail, croiser des amis, traîner, passer en coup de vent, prendre une bouchée, souper. On y va avec les copains, on emmène les enfants durant le week-end, on rencontre des collègues le soir après le travail. On y débarque avec un gang de filles, de gars. Le lieu est populaire et polyvalent.

Tous les quartiers devraient avoir ce genre de lieu de rencontre, de croisement, qui crée de la vie, aide à tisser des liens entre voisins.

- Pour un bon verre de vin et de bonnes charcuteries.
- On y va seul pour croiser des habitués ou on y va entre amis.
- Pour montrer à des visiteurs où sortent les vrais Montréalais, hors des zones touristiques.
- Pour sortir en gang.
- Trop bruyant pour un tête-à-tête intime.

$ ou $$

Ouvert le soir, tous les jours

4869, avenue du Parc, Montréal
514 750-6577
www.buvettechezsimone.com

Accords

On vient d'abord et avant tout dans ce restaurant du Vieux-Montréal appartenant à la comédienne Chantal Fontaine et à l'animateur Guy A. Lepage pour sa cave remplie de crus intéressants. Il y a de tout ici, du cher et du moins cher, du naturel et du traditionnel. Beaucoup d'importations privées. Mais ce qu'il y a de formidable, c'est que plus de 50 vins sont servis au verre. Pour faire des accords avec tout ça – ou des désaccords –, il y a la cuisine de Marc-André Lavergne, qui est parfois sans gluten, parfois végétarienne. Le lieu, un bâtiment ancestral, est charmant, notamment la terrasse toute fraîche, entourée de murs de pierres.

Le restaurant compte maintenant un petit frère, le bistro Accords, rue Sainte-Catherine près de Saint-Laurent, dans le Quartier des spectacles, ainsi qu'un camion de cuisine de rue, le Nomade So6 qui sert de la… saucisse.

• Bons vins et vieilles pierres = bonne ambiance pour un repas en tête-à-tête.

• Pour la terrasse charmante et fraîche.

• Lunch tous les jours en semaine.

• On y va pour le vin, d'abord et avant tout. Carte spectaculaire.

$$$

Ouvert le midi, du lundi au vendredi
Ouvert le soir, tous les jours

212, rue Notre-Dame Ouest, Montréal
514 282-2020
www.accords.ca

Ma'tine

L'équipe qui était derrière le microrestaurant La Famille, rue Gilford, a maintenant une nouvelle adresse beaucoup plus spacieuse, avec une immense et jolie terrasse à l'angle du boulevard De Maisonneuve et de la rue de la Visitation. On y mange la même cuisine qui nous faisait adorer la petite Famille : des salades vertes fraîches et jamais ennuyantes, des compositions classiques réinventées, comme la salade niçoise au thon en pommade ou le traditionnel melon-prosciutto devenu soupe froide avec cantaloup et saucisse de Morteau. Le lieu vaut aussi le détour le matin pour le café et les viennoiseries. Un petit cannelé au pastis avec ça ?

Comme c'était le cas à La Famille, la première table de cette équipe sympathique, la carte des vins est remplie d'importations privées, de vins naturels et d'autres crus soigneusement choisis et abordables.

- Pour le petit-déjeuner.
- Pour un café et une brioche en après-midi.
- Pour un lunch d'affaires décontracté.
- Pour la terrasse.

$ ou $$

Ouvert en journée, du mardi au samedi
Fermé le dimanche et le lundi

1310, boulevard De Maisonneuve Est, Montréal
514 439-9969

Olive et Gourmando

Olive et Gourmando est un de mes restaurants préférés au monde. Quand je voyage, je cherche constamment la même concentration de sandwichs, salades et viennoiseries, limonades maison et café de qualité sous un même toit, et je n'y arrive pas. J'aime tout d'Olive. Le sandwich au poulet épicé, mangue et avocat. La ricotta maison. Les salades du jour toujours allumées. Les viennoiseries et autres gâteries, comme les super brioches au chocolat et à la banane. Même les limonades maison éclatées, au gingembre ou à la framboise. Le seul hic : parfois, il y a des queues assez longues. J'attends quand même.

Si le restaurant est trop plein, on prend son repas et on va le manger dans un parc ou au bureau.

- Un des meilleurs petits-déjeuners du Vieux-Montréal.

- Parfait pour le lunch.

- Pour y aller avec les enfants, on choisit les (rares) heures creuses.

- Excellent pour observer les vedettes de passage à Montréal, qui adoptent souvent les lieux.

$

Ouvert en journée, du mardi au samedi
Fermé le dimanche et le lundi

351, rue Saint-Paul Ouest, Montréal
514 350-1083
www.oliveetgourmando.com

Café Holt

Installé au sous-sol du grand magasin très chic Holt Renfrew, le café Holt est beaucoup plus qu'un comptoir où les *fashionistas* s'arrêtent pour prendre un Coke Diète ou un Cosmo après avoir flambé l'équivalent d'un paiement d'hypothèque mensuel sur un sac à main Chloé ou une robe Marni. C'est un vrai restaurant en bonne et due forme, et on y mange très bien. On aime les salades (saumon-quinoa-haricots-maïs-avocat), on aime les tartines (crabe-bacon-laitue-tomate), même si on se demande pourquoi Holt continue de faire venir son pain Poilâne de France. Et on aime la déco moderne, colorée, le service sympathique et professionnel, et le bruit raisonnable.

Mon plat préféré ? La tartine brunch avec un œuf poché, du saumon fumé, des champignons, une tomate confite au four et du basilic frais.

- Pour un lunch d'affaires léger au centre-ville, dans un univers lumineux, moderne, aéré, différent des adresses classiques très masculines du quartier.

- Pour une pause chic, mais relax, au milieu d'une journée de shopping au centre-ville.

- Pour un lunch avec des copines.

- Pour un lunch avec une mère, belle-mère ou grand-mère qui aime les restaurants où l'on a l'impression d'être dans un grand magasin chic à New York ou Los Angeles.

$$

Ouvert selon l'horaire du magasin

1300, rue Sherbrooke Ouest, Montréal
514 282-3750
www.holtrenfrew.com

Monsieur

De plus en plus de restaurants s'installent au sud du centre-ville, mais au nord du Vieux-Montréal, à la rencontre de deux zones remplies de bureaux et de convives à la recherche d'un bon lunch, et ce Monsieur, rue De Bleury, en est un parfait exemple. La table est maintenant ouverte le soir, mais l'endroit s'est surtout fait connaître pour ses repas du midi, notamment de spectaculaires salades composées, très fraîches, pleines de couleur et de variété, des tacos sympathiques et originaux… On aime la volonté de s'approvisionner en produits régionaux et la simplicité savoureuse du menu.

Monsieur est la table de Kimberly Lallouz, la femme immensément énergique derrière le traiteur Miss Prêt à Manger.

• Pour un lunch d'affaires.

• Pour un repas avant un spectacle.

• Un des endroits à Montréal où l'on propose de réellement belles et bonnes salades.

• Pour le comptoir traiteur.

$$

Ouvert le midi, du lundi au vendredi
Ouvert le soir, du mercredi au samedi
Fermé le dimanche

1102, rue De Bleury, Montréal
514 861-1000
www.restobarmonsieur.com

Les suggestions de...

Alexandre Taillefer

Alexandre Taillefer est un homme d'affaires actif, un investisseur courageux au flair redoutable. Il a une personnalité d'enfer à l'enthousiasme contagieux, comme on le voit à la télévision, à l'émission *Dans l'œil du dragon*. Alexandre Taillefer est aussi un amoureux de la culture en général et de l'art contemporain en particulier. C'est un fin collectionneur, qui a pris la présidence du conseil d'administration du Musée d'art contemporain de Montréal, après avoir relancé l'Opéra de Montréal. En plus de tout cela, Alexandre est un grand amateur de vin et de cuisine. Je le croise sans arrêt dans les restaurants montréalais, qu'il encourage et soutient. Car il croit aussi à ce créneau identitaire pour sa ville. Je lui ai demandé où était sa table favorite par les temps qui courent. Voici ce qu'il m'a répondu :

PATRICE PÂTISSIER

« Le commerce alimentaire du moment. C'est un arrêt obligatoire après mes achats au marché Atwater. Une des trois meilleures pâtisseries à Montréal et le meilleur kouign-amann que j'ai mangé à vie. Et c'est toujours un plaisir de croiser les sympathiques Marie-Josée (Beaudoin) et Patrice (Demers) en arrière du comptoir. »

2360, rue Notre-Dame Ouest, Montréal / 514 439-5434
www.patricepatissier.ca

GRAZIELLA

« Ma cantine de la dernière année ? Encore et toujours Graziella avec ses fonds maison hallucinants, ses pâtes maison, mais surtout ses viandes. Des portions idéales pour le lunch. Et Pierre et Alexandre connaissent les vins comme peu de sommeliers à Montréal. »

116, rue McGill, Montréal / 514 876-0116
www.restaurantgraziella.ca

SALMIGONDIS

« Mon dernier coup de cœur? Le resto Salmigondis. Une cuisine originale, des produits frais d'ici, des cocktails surprenants et une des plus belles terrasses en ville. »

6896, rue Saint-Dominique, Montréal / 514 564-3842
www.salmigondis.ca

LE SERPENT

« Le petit nouveau? Le Serpent, un restaurant que je veux aimer encore davantage. Une bonne table que Brooklyn ne renierait pas. Une cuisine pas toujours impeccable, mais une ambiance d'enfer et une carte des vins qu'on aime. »

257, rue Price, Montréal / 514 316-4666
www.leserpent.ca

PRIMI PIATTI

« Resto de quartier ? Nous sommes privilégiés d'avoir Primi Piatti à Saint-Lambert. Le meilleur restaurant de la Rive-Sud. Des pizzas impeccables, un proprio très sympa. Et une grande constance. »

47, rue Green, Saint-Lambert / 450 671-0080
www.primipiatti.ca

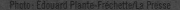

Photo : Édouard Plante-Fréchette/La Presse

AVEC QUI ALLEZ-VOUS MANGER?

Brasserie Bernard

Pendant des années, ce local a abrité La Moulerie, un restaurant populaire dont la cuisine était pourtant très ordinaire. Puis quelques autres restaurateurs s'y sont cassé les dents, même si l'emplacement est idéal, en plein cœur de la rue Bernard à Outremont, avec une magnifique terrasse. Cette fois-ci, je crois que c'est la bonne. La Brasserie Bernard a un joli décor inspiré des brasseries européennes et une carte remplie de classiques qui ratissent large pour plaire à tous. Et tout en le faisant bien. Bavette de veau très rosée sur une embeurrée de chou, potage aux champignons avec effiloché de canard, salade de poulpe et haricots blancs, feta, olives, minicroûtons, persil… Et jolie carte des vins en prime.

Atmosphère vivante, bruyante — dans les 90 décibels un mercredi soir —, un vrai restaurant de quartier où l'on se retrouve entre amis, en famille, en tête-à-tête, sans façon.

- Pour un repas pas compliqué en groupe.
- Pour un repas en famille.
- Pour la terrasse.
- Pour un lunch d'affaires ou avec des amis.

$$

Ouvert le midi et le soir, tous les jours
Brunch le samedi et le dimanche

1249, avenue Bernard, Montréal
514 508-5519
www.brasseriebernard.com

Brasserie T !

Tout juste à côté du Musée d'art contemporain, en plein sur la place des Festivals, la Brasserie T ! est un restaurant facile d'accès. Saucisses, poissons, salades, charcuteries… On y trouve des plats pour tous les appétits, pour tous les styles de mangeurs. C'est très populaire le midi au centre-ville, mais aussi avant ou après les spectacles. On y mange une cuisine de brasserie préparée impeccablement. On adore les impressionnants plateaux de fruits de mer en saison. Le menu est bien garni de classiques qui se suivent, mais ne ressemblent jamais complètement à tout ce qui se fait ailleurs. Ici comme au Toqué !, on ne travaille qu'avec des produits de première qualité et on refuse de tomber dans la facilité.

En hiver, la Brasserie T ! organise un événement autour de la truffe, qu'on conjugue de toutes sortes de façons, même au dessert.

- Pour un lunch d'affaires.

- Pour un souper après une pièce de théâtre ou un concert. On est au cœur du Quartier des spectacles.

- Pour un lunch ou un souper avec des amis, dans une atmosphère bien vivante.

- Bruit considérable.

- Pour connaître le style de cuisine de Normand Laprise sans payer le prix du Toqué !

- Pour un bon repas un dimanche ou un lundi soir.

$$

Ouvert le midi et le soir, tous les jours

1425, rue Jeanne-Mance, Montréal
514 282-0808
www.brasserie-t.com

Leméac

Avec la fermeture définitive du Laurier, il faut se rendre à l'évidence. La nouvelle institution classique de l'avenue Laurier, celle où l'on va autant avec les grands-parents qu'avec les neveux, c'est Leméac, présent depuis plus d'une douzaine d'années sur l'artère chic d'Outremont. Tout le monde peut se retrouver devant cette cuisine de brasserie simple, bien faite, fiable. Gaspacho aux deux tomates, ragoût d'escargots, crab cakes et sauce gribiche… Le lieu est toujours rempli de gens du quartier, toutes générations confondues. Le midi, on y voit des dames au look Chanel. À partir de 22 h, le menu à 25 $ attire les jeunes. Le week-end, les brunchs réunissent les familles. La cave comporte aussi une foule de bouteilles bien choisies par des sommeliers sérieux.

Leméac a une très grande terrasse, chauffée et abritée.

• Pour voir du beau monde puisque Leméac est au croisement des beaux quartiers : Outremont, Mont-Royal, Mile-End…

• Brunch le week-end.

• Si on est seul, on peut manger au bar.

• Idéal pour un repas avec des gens qu'on connaît peu : rendez-vous galant, dîner d'affaires…

• Pour manger après un spectacle, pour pas cher.

$$

Ouvert le midi et le soir, tous les jours
Brunch le samedi et le dimanche

1045, avenue Laurier Ouest, Montréal
514 270-0999
www.restaurantlemeac.com

La Salle à manger

Les restaurants ne sont pas tous spectaculaires sur l'avenue du Mont-Royal, mais la Salle à manger fait partie des bonnes tables, c'est clair. On y mange une cuisine généreuse, sympathique, d'inspiration québécoise, accessible, bien faite, avec des produits régionaux de grande qualité. Charcuteries maison, flétan de Gaspésie, tacos revisités… La Salle à manger a un petit frère, le traiteur Pas d'cochon dans mon salon, piloté aussi par le chef Samuel Pinard, ainsi qu'un excellent camion de cuisine de rue qui sert un redoutable sandwich au porc effiloché. Oui, celui-là est vraiment bon. Attention : il est facile ici de se laisser emporter et de trop commander, car les plats à partager sont immenses.

Le restaurant a toujours quelques plats végétariens au menu.

- Grandes tables parfaites pour un groupe de six ou huit.

- Atmosphère vivante, nombre de décibels élevé.

- Si on est seul, on mange au comptoir.

- Restaurant de quartier comme on aimerait tous en avoir un.

$$ ou $$$

Ouvert le soir, tous les jours
Brunch le samedi et le dimanche

1302, avenue du Mont-Royal Est, Montréal
514 522-0777
www.lasalleamanger.ca

L'Express

L'Express est une institution montréalaise. Il ne change pas. Même quand la propriétaire disparaît, ce qui fut le cas cette année. Même quand le chef prend sa retraite. Peu importe l'heure et le jour de la semaine, on peut toujours y trouver les mêmes assiettes qu'il y a 20 ans : foie de veau, canard confit, rillettes, onglet au beurre et à l'échalote… sans parler de l'os à moelle, un classique. Et je ne vous parle même pas de sa grande cave et de ses plats français traditionnels. L'accueil est toujours aussi sec, à moins d'être un habitué. Et des habitués, il y en a, notamment des personnalités du monde des communications, de la publicité, des médias. Indémodable. Aussi : un des endroits où l'on peut aller manger seul, au comptoir, sans problème. Des tas de gens le font. Pour plusieurs, L'Express est une cantine.

Même le téléphone a gardé une sonnerie rétro !

- Cuisine de brasserie française constante, avec un menu rempli de classiques.

- Ouvert tard, toujours animé. Rempli de personnalités connues du monde du spectacle et des communications.

- Plutôt bruyant.

- Pour manger seul au comptoir.

- On y va avec des visiteurs qui tiennent à manger de la cuisine très française.

$$

Ouvert le matin, le midi et le soir, tous les jours

3927, rue Saint-Denis, Montréal
514 845-5333
www.restaurantlexpress.ca

Hostaria

J'écris ces lignes et je rêve de papardelle au ragoût de sanglier, d'antipasti de légumes copieux et frais, de bons vins rouges… Hostaria est l'une des très bonnes tables italiennes de Montréal. C'est moderne, convivial. Avec une cuisine chaleureuse, assez classique : pâtes aux garnitures simples, produits frais, viandes braisées. Tout s'avère toujours savoureux. Même la salade verte, spectaculaire, parce que la vinaigrette est impeccable, et les laitues, parfaitement croquantes. Et Hostaria est aussi un de ces endroits où l'on va en groupe et où l'on finit par parler à tout le monde. Très sympa.

Si on est seul, on mange au bar et c'est presque garanti qu'on finit par se faire des amis.

- On y va à deux et on s'assoit au bar ou dans la salle. Mais difficile de se susurrer des mots doux à l'oreille.

- Pour un repas en petit groupe.

- Pour un bon repas italien avec des pâtes, de la mozzarella, des salades ; bref, les classiques qui plaisent à tous.

- Carte des vins recherchée, incluant de beaux choix au verre.

$$$

Ouvert le midi, le jeudi et le vendredi
Ouvert le soir, du mercredi au samedi
Fermé le dimanche, le lundi et le mardi

236, rue Saint-Zotique Est, Montréal
514 273-5776
www.hostaria.ca

La Chronique

Ici, on s'entend parler. La carte des vins est remplie de valeurs sûres, sans anomalies. La cuisine aurait besoin d'être légèrement allégée, dépoussiérée, mais elle demeure fiable, savoureuse. Bref, ouverte en 1995 par Marc De Canck, chef d'origine belge, La Chronique reste le genre d'endroit où l'on croise des gens qui aiment les classiques et fuient les acrobaties incertaines. C'est tout sauf un lieu « du moment », même si en 2013 le restaurant est déménagé en face, dans le local jadis occupé par le restaurant Anis. Un changement tout en lumière, en blanc, en espace, qui lui a fait le plus grand bien.

Aussi idéal pour un premier rendez-vous galant, si on a plus de 40 ans et un bon budget !

- Pour un repas entre amis pas trop aventuriers, mais amateurs de bonne chère.
- On emmène parents et beaux-parents ou tout autre amateur de cuisine traditionnelle bien faite.
- Pour s'entendre parler et boire de bons crus classiques.

$$$

Ouvert le midi, du mardi au vendredi
Ouvert le soir, tous les jours

104, avenue Laurier Ouest, Montréal
514 271-3095
www.lachronique.qc.ca

Milos

Milos propose une cuisine classique grecque qui plaît autant aux gens d'affaires soucieux de leur ligne qu'aux parents et beaux-parents amateurs de poisson et de voyages en Méditerranée. Les vedettes qui passent par la ville, qu'elles soient des rockeurs ou des rappeurs, aiment aussi Milos. Au menu : des poissons hyper frais et grillés simplement, des salades, des fritures légères, des fruits. Mais attention ! La qualité des produits, de la moindre huile d'olive à chaque poisson, incluant plusieurs ingrédients et vins importés directement de Grèce par le propriétaire, est spectaculaire.

Milos compte deux autres succursales, à New York et à Athènes.

• Idéal pour ceux qui aiment manger léger.

• Le menu du soir est un peu cher, mais on peut essayer l'expérience Milos le midi ou alors après 22h, à des prix tout à fait raisonnables.

• Un repas chez Milos en plein hiver donne un peu l'impression qu'on est en été ou en voyage.

• Le lieu est apprécié des vedettes, incluant plusieurs joueurs de hockey.

$$$

Ouvert le midi, du lundi au vendredi
Ouvert le soir, tous les jours

5357, avenue du Parc, Montréal
514 272-3522
www.milos.ca

Europea

La table du chef d'origine française Jérôme Ferrer n'a pas que des fans, mais elle compte, il va sans dire, de nombreux adeptes qui tombent sous le charme de toutes les petites attentions proposées par la maison et qui donnent l'impression d'être une VIP: amuse-bouches, entremets, mignardises... Ici, on est traité aux petits oignons, c'est la marque de commerce du lieu. Au menu, une cuisine branchée sur la France, mais aussi de multiples clins d'œil aux plats-signatures des grandes tables du moment partout dans le monde. Calmars taillés en tagliatelle, cappuccino de crème de homard... Rien de déroutant. Beaucoup d'éléments charmants.

Le restaurant offre maintenant des menus végétariens et végétaliens.

- Pour un souper en famille, avec parents et beaux-parents.

- Pour un lunch d'affaires.

- Nombreuses salles isolées pour des réunions.

- Pour un repas du soir en tête-à-tête ou en petit groupe.

$$$

Ouvert le midi, du mardi au vendredi
Ouvert le soir, tous les jours

1227, rue de la Montagne, Montréal
514 398-9229
www.europea.ca

Ferreira Café

À Montréal, il n'y a pas beaucoup d'institutions aussi établies pour les repas d'affaires que le Ferreira Café, rue Peel, où le chef Joao Hipolito, un Portugais arrivé à Montréal l'an dernier, pilote maintenant l'équipe. Il y propose une cuisine portugaise de grande qualité, classique, bien faite, savoureuse à souhait. Au menu : beaucoup de poissons, apprêtés avec du chorizo, de la coriandre, des coques, et tous les produits traditionnels du pays d'origine du fondateur, Carlos Ferreira. La carte des vins aussi est remplie de crus ibériques qu'importe spécialement le restaurateur. C'est bruyant. Mais jamais banal.

On dit, à la blague, qu'il n'y a que les gens d'affaires qui ont leur chef privé qui ne vont pas manger chez Ferreira. Tous les autres y sont.

- Idéal pour un repas d'affaires savoureux, léger, en compagnie de tout le *who's who* des affaires montréalais.
- Bruyant, mais le propriétaire en est conscient et s'occupe du dossier.
- Un des meilleurs restaurants de poisson en ville.
- On n'oublie pas de réserver.

$$$

Ouvert le midi, du lundi au vendredi
Ouvert le soir, tous les jours

1446, rue Peel, Montréal
514 848-0988
www.ferreiracafe.com

Le Contemporain

Si c'est le calme, voire la discrétion, que vous cherchez pour votre repas d'affaires, l'atmosphère légèrement austère de ce restaurant installé à la mezzanine du Musée d'art contemporain vous conviendra parfaitement. La cuisine du chef Antonin Mousseau-Rivard, petit-fils de Jean-Paul Mousseau, un des signataires du *Refus global*, et fils du chanteur Michel Rivard, est créative, minutieuse, remplie des saveurs fraîches du marché. On est dans un univers soigné, qui met en vedette, avec élégance, les produits du Québec.

Le chef cuisine aussi en privé lorsqu'on loue les salles du musée pour des événements-repas.

• Pour un tête-à-tête discret, amoureux ou d'affaires.

• Avant ou après un spectacle.

• Lieu calme et serein pour amateurs d'art contemporain.

$$$

Ouvert le midi, du mardi au vendredi
Ouvert le soir, du jeudi au samedi
Fermé le dimanche et le lundi

185, rue Sainte-Catherine Ouest, Montréal
514 847-6900
www.macm.org

Graziella

Certains vont chez Graziella pour leurs repas d'affaires parce qu'il y a des salles tout équipées au sous-sol. D'autres y vont tout simplement à cause de l'élégance de la cuisine italienne sobre, mais toujours remplie de saveurs de Graziella Battista. Burrata à la mousse de tomates rôties, pintade farcie au prosciutto et foie gras, osso buco classique... Ici, on est vraiment en Italie, ou du moins chez quelqu'un qui a appris à l'italienne à rechercher la profondeur des saveurs.

Le restaurant est installé dans un ancien bureau d'architectes, donc au modernisme minimaliste, aux hauts plafonds et aux murs dégagés pour accueillir d'immenses œuvres d'art.

- Pour un lunch d'affaires savoureux, chic, sobre.
- Une des bonnes tables italiennes de Montréal.
- Pour un souper en tête-à-tête.
- Si on est seul, on peut manger au bar.

$$$

Ouvert le midi, du lundi au vendredi
Ouvert le soir, du lundi au samedi
Fermé le dimanche

116, rue McGill, Montréal
514 876-0116
www.restaurantgraziella.ca

Renoir

Est-ce parce que les gens d'affaires aiment la cuisine légère – pour ne pas s'endormir à leur bureau l'après-midi – qu'ils fréquentent tant le restaurant de l'hôtel Sofitel ? Peut-être. Quoi qu'il en soit, la cuisine du Renoir et de son chef Olivier Perret, notamment la gamme de plats De-Light servie dans tous les Sofitel, montre chaque jour qu'elle ne doit pas être riche pour être bonne. Poissons, légumes, fruits, yaourts au dessert. On aime cette cuisine tout en fraîcheur qui ne fait jamais de compromis côté goût. On aime aussi la terrasse minimaliste qui longe la salle à manger et qui permet de manger *al fresco* au retour des beaux jours. Le chef y fait aussi pousser ses herbes.

Le restaurant de l'hôtel Sofitel, au centre-ville, est un grand classique quand vient le temps d'organiser des petits-déjeuners d'affaires.

- Un incontournable pour les petits-déjeuners et les lunchs d'affaires. Le Tout-Montréal s'y retrouve.
- On mange sur la terrasse, peut-être après une séance de shopping au centre-ville ?
- Pour un bon petit-déjeuner – copieux ou allégé – toujours savoureux.
- On peut laisser sa voiture au valet de l'hôtel.

$$

Ouvert le matin et le midi, du lundi au vendredi
Ouvert le soir, tous les jours
Brunch le dimanche

1155, rue Sherbrooke Ouest, Montréal
514 788-3038
www.restaurant-renoir.com

La Cabane à sucre
Au Pied de cochon

J'aime vraiment beaucoup la Cabane. La Cabane à sucre au printemps. La Cabane aux pommes à l'automne. J'aime l'opulence, le côté décontracté, la quête irrévérencieuse du plaisir dans chaque bouchée. Martin Picard, le chef derrière l'immense succès du Pied de cochon, y crée avec son équipe, notamment la pâtissière Gabrielle Rivard-Hiller et le chef Vincent Dion-Lavallée, une cuisine très québécoise, savoureuse, théâtrale, remplie d'humour et destinée à apporter joie et bonheur aux convives. Évidemment, il y a toujours un peu de foie gras et du sirop d'érable, mais on y décline aussi le homard, la pintade, le canard, l'esturgeon... Ne pas oublier de réserver bien à l'avance et que c'est un restaurant saisonnier.

Le menu cabane à sucre est généralement rempli de références traditionnelles à cette saison : tire, soupe aux pois, jambon, œufs dans le sirop. Le menu pommes tient à faire honneur aux récoltes des potagers et des vergers, à l'automne.

- Plus cher que les cabanes traditionnelles, mais, côté qualité, on est dans une autre ligue.

- Destination idéale pour les touristes.

- On peut y aller à deux ou même seul, en s'assoyant au bar.

- Restaurant saisonnier qu'on peut réserver en entier, hors saison, pour de gros groupes.

$$

Ouvert le soir, du jeudi au dimanche, en saison
Ouvert le midi, le samedi et le dimanche, en saison
Fermé le lundi, le mardi et le mercredi

---

11 382, rang de la Fresnière, Saint-Benoît-de-Mirabel
www.cabaneasucreaupieddecochon.com

63

Schwartz's

Schwartz's est probablement l'un des plus touristiques de tous les restaurants montréalais. Les files d'attente devant l'institution du boulevard Saint-Laurent sont toujours longues. Tous les guides le recommandent. Est-ce qu'il vaut quand la peine d'y aller ? Oui. Installé au cœur de l'ancien quartier commerçant juif montréalais, Schwartz's n'a pas pris une ride depuis son ouverture en 1928. C'est une attraction touristique, car le décor et l'expérience semblent figés dans le temps. On y déguste LE sandwich montréalais par excellence : le smoked meat (*medium* pour qu'il soit bien juteux), accompagné de frites et de cornichons. Pas de dessert. Pas de bière. Peut-être un Cherry Coke.

Ne vous en faites pas pour les hyper longues files d'attente devant le restaurant. Ça avance vite.

• Pour un bon sandwich le midi, pas compliqué.

• La file d'attente a la grande qualité de bouger rapidement.

• On peut commander pour emporter et aller savourer le tout au parc Jeanne-Mance, non loin de là.

• Facile de manger seul au comptoir.

• Une bonne adresse typique et colorée pour les visiteurs étrangers.

• Pour prendre une bouchée avant ou après une partie de hockey ou de football.

$

Ouvert le matin, le midi et le soir, tous les jours

3895, boulevard Saint-Laurent, Montréal
514 842-4813
www.schwartzsdeli.com

Les Îles en ville

Ce restaurant est un hommage aux Îles-de-la-Madeleine et il est absolument unique à Montréal. Ce n'est pas chic. C'est même plutôt basique. Mais on y trouve l'accueil chaleureux et l'atmosphère qui caractérisent les Îles-de-la-Madeleine. On y fait un petit voyage dans le golfe, sans même bouger de Montréal. Au menu : du homard, évidemment, pour commencer, mais aussi des plats typiques comme le pot-en-pot aux poissons et fruits de mer. La cuisine, honnête, n'est pas grandiose. Mais ce qu'on découvre surtout ici, c'est la gentillesse légendaire des insulaires. Et le week-end, des musiciens et des chanteurs font danser la salle.

Pour donner une idée de l'atmosphère des petits restaurants familiaux et chaleureux du Québec rural à des amis visiteurs.

- Pour du homard tout simple, abordable, en saison.

- Pour faire un voyage aux Îles, en ville.

- Une jolie terrasse décorée avec des objets typiques des Îles permet de manger à la belle étoile et d'avoir l'impression qu'on est au bord de la mer, alors qu'on est en plein Verdun.

- Pour faire voir aux visiteurs à quoi ressemble un peu le style des fêtes de familles québécoises à l'ancienne.

$

Ouvert le midi, du mardi au vendredi
Ouvert le soir, du mardi au dimanche
Fermé le lundi

5335, rue Wellington, Montréal (Verdun)
514 544-0854
www.lesilesenville.com

65

Au Cinquième Péché

Pourquoi emmener des visiteurs au Cinquième péché ? À cause de la viande de loup marin, un produit controversé, mais fort savoureux, provenant des îles de la Madeleine, dont on fait ici, notamment, des phoquonailles ! Installé dans un joli lieu tout en murs de pierres, avec une petite terrasse abritée en façade dans la rue Saint-Denis, ce restaurant tenu par deux frères originaires du nord de la France – ils font d'ailleurs un « ch'tiramisu » – propose en effet une cuisine française accessible. Ils travaillent les produits d'ici avec un regard moderne et branché. On lit le menu sur une ardoise. On choisit des plats qui ne sont jamais banals – queue de lotte sur l'os, *cheesecake* à la courge –, jamais maladroits non plus. Savoureux.

Ce restaurant est aux antipodes des Îles en ville, le restaurant des Îles-de-la-Madeleine à Montréal, mais met en vedette d'une façon vraiment réussie, respectueuse, créative, un autre produit de ce petit archipel de dunes : la viande de phoque.

- Pour un lunch d'affaires entre épicuriens modernes.
- Bonne petite carte des vins remplie de bons crus de petits producteurs.
- Pour un bon repas à prix raisonnable.

$$

Ouvert le soir, du mardi au samedi
Fermé le dimanche et le lundi

4475, rue Saint-Denis, Montréal
514 286-0123
www.aucinquiemepeche.com

Ikanos

Les restaurants de cuisine méditerranéenne, qui savent bien servir le poisson et les légumes, sont souvent très populaires auprès des femmes qui organisent des « dîners de filles ». Ikanos, un restaurant grec du Vieux-Montréal ouvert par ceux qui étaient derrière le Tasso de la rue Saint-Denis, est donc l'endroit idéal. On y sert une cuisine grecque classique, avec des touches créatives. Saganaki déglacé à l'ouzo et salade de fenouil poivré, calmars rôtis, ragoût d'artichauts et gourganes fraîches avec citron Meyer en purée… On peut aussi toujours opter pour le traditionnel poisson à peine grillé, avec huile d'olive, câpres et jus de citron. Décor moderne, aéré, lumineux, avec détails évoquant la Grèce et la mer, comme cette vitrine d'hameçons à l'entrée. Un lieu joli et une bonne cuisine.

Le midi, il y a une table d'hôte à 22 $ incluant entrée, dessert et mignardises. Un des meilleurs *deals* en ville.

• Pour un repas savoureux, mais léger.

• Pour la jolie carte des vins grecs.

• Pour un lunch d'affaires ou un repas en tête-à-tête.

$$

Ouvert le midi, du lundi au vendredi
Ouvert le soir, du lundi au samedi
Fermé le dimanche

112, rue McGill, Montréal
514 842-0867
www.restaurantikanos.com

Callao

Les ceviches ont la cote par les temps qui courent, mais peu de restaurants savent préparer vraiment avec précision ce plat ultra-savoureux, ultra-léger, fait de poisson cru, de jus de citron, d'oignon, de piment et d'herbes, puis décliné selon l'humeur du chef et de la saison. Chez Callao, on propose, à mon avis, un des meilleurs ceviches en ville. Pas étonnant, puisque le chef, Mario Navarrete, est péruvien. Le Callao est dans le local qui abritait auparavant le Raza, sauf que, cette fois, la cuisine est plus terre à terre. *Anticuchos* – brochettes, – *lomo saltado* – bœuf aux oignons –, *tiradito* – sorte de ceviche avec poisson en lamelles plutôt qu'en cubes… À peu près tous les plats hyper traditionnels du Pérou sont là. Mais ce sont surtout les ceviches qui se démarquent. Jolie carte des vins. Petite terrasse.

Callao est une ville péruvienne, proche de Lima, principal port de pêche du Pérou.

- Pour un repas avec des gens qui aiment manger léger, mais exotique.
- Pour se rappeler des souvenirs du Pérou.
- Pour un repas en groupe ou à deux.
- Le lundi et le mardi soir, il y a une table d'hôte 3 services à 29 $.

$$

Ouvert le soir, du lundi au samedi
Fermé le dimanche

114, avenue Laurier Ouest, Montréal
514 227-8712
www.callaomontreal.com

Patrice Pâtissier

Patrice Pâtissier, installé dans la Petite-Bourgogne, pas loin de Joe Beef et d'autres, n'est pas qu'une simple pâtisserie avec quelques tables où prendre un café et déguster un chou à la crème ou un gâteau. C'est aussi un petit restaurant où l'on peut luncher en semaine et un bar à vins ouvert les jeudis, vendredis et samedis soir, pour le souper. Pourquoi on y va avec les copines ? Pour commencer le repas en dévorant des plats plutôt légers, mais hyper savoureux – crevettes aux concombres, omble de l'Arctique mariné, salade de choux de Bruxelles –, pour ensuite se lancer dans les desserts. Et quels desserts ! Kouign-amann beurré à mort, chou au chocolat et à la banane, tarte au chocolat et à la noisette, gâteau au café du Saint-Henri… Tout est absolument divin.

Patrice Demers, le pâtissier, et sa conjointe et sommelière Marie-Josée Beaudoin sont des perfectionnistes. Même les sodas de chez Savouré, une petite boîte montréalaise, et les tisanes de chez Camellia Sinensis, sont sans faille. Sans parler du chocolat chaud à la vanille et à la cardamome.

• Pour un souper en gang – ou à deux – sans chichi, vraiment savoureux, qui fait une belle place aux desserts.

• Pour acheter des pâtisseries.

• Pour prendre un thé ou un café et un dessert en après-midi.

• Très belle carte des vins remplie de trouvailles abordables.

$$

Ouvert en journée, du mardi au dimanche
Ouvert le soir, du jeudi au samedi
Fermé le lundi

2360, rue Notre-Dame Ouest, Montréal
514 439-5434
www.patricepatissier.ca

Le Richmond

Avec ses escarpins vertigineux à la Michael Kors et ses décolletés assumés, façon Versace, la faune qu'on a longtemps associée au boulevard Saint-Laurent près de Sherbrooke, puis à un certain Vieux-Montréal, s'est installée au sud du centre-ville, dans Griffintown. Et difficile de le constater aussi clairement qu'au Richmond, où on laisse ses exigences gastronomiques à la porte — la cuisine à l'italienne pourrait être mieux préparée — pour s'imprégner de l'ambiance, de la compagnie. Mèches blondes, niveau de bruit élevé, Mini Cooper et Fiat 500 au voiturier… La scène qui se déroule sous nos yeux n'est jamais banale. C'est vivant, c'est coloré, avec des airs de *Sex and the City*, 10 ans plus tard. L'émission de téléréalité pourrait s'appeler *The Real Housewives of Griffintown*.

Côté déco, on combine un certain style postindustriel – murs de briques dénudées, tuyauterie apparente – avec des accents un peu baroques – grandes draperies, lustres de cristal, fauteuils d'inspiration Louis XVI. Et ça marche.

- Pour sortir avec les copines, clairement.
- Pour voir du monde.
- Pour un repas à l'italienne, et non pas italien. Avis aux puristes.
- Carte des vins italiens intéressante.
- Magnifique terrasse.

$$$

Ouvert le midi, du mardi au vendredi
Ouvert le soir, du lundi au samedi
Brunch le dimanche

377, rue Richmond, Montréal
514 508-8749
www.lerichmond.com

Furco

Ouvert par les mêmes propriétaires que la Buvette chez Simone, le Furco fait un tabac depuis son entrée en scène au centre-ville. On y mange une cuisine très conviviale, à partager, parfois un peu maladroite. Plateau de charcuteries, tataki de saumon aux épices et pommade de feta, crabe des neiges avec raviolis à l'artichaut… On aime la carte des vins abordables, sans lieux communs. Mais c'est surtout l'atmosphère sympathique qui donne envie d'y retourner. Avec un groupe de copines. Niveau de bruit élevé. Beaucoup de monde. Il y a pratiquement toujours une file d'attente devant le Furco. Si vous voulez une place assise, arrivez tôt !

Le Furco compte maintenant un petit frère, le Parvis, tout juste à côté, où l'on se spécialise dans la pizza en morceaux et la salade. Même style de décor postindustriel. Terrasse. Très sympa.

- Un des rares lieux conviviaux et décontractés pour prendre un verre en plein centre-ville.

- Prix abordables.

- Pour sortir en gang.

- Pour se faire de nouveaux amis.

$$

Ouvert le soir, tous les jours

425, rue Mayor, Montréal
514 764-3588
www.barfurco.com

Helena

Helena Loureiro, qu'on a connue au Portus Calle, tient ce restaurant du Vieux-Montréal où elle prépare une cuisine hautement ensoleillée, comme son pays natal, le Portugal, une cuisine remplie d'agrumes, de poissons, de tomates, d'huile d'olive, avec quelques accents de porc et de piment ! On aime les hauts plafonds ajourés de cet établissement, la décoration pas mal plus élégante que celle de son premier restaurant, la cuisine aussi plus minimaliste. On aime la feijoada de fruits de mer ou les calmars farcis au chorizo. Le genre d'endroit où l'on va pour organiser un voyage au Portugal ou pour se rappeler de bons souvenirs.

Le Helena a maintenant un petit frère : un café tout simple, rue Saint-Paul, où l'on peut acheter sandwichs, soupes et salades, le Cantinho de Lisboa, la cantine de Lisbonne.

- Pour un repas de filles qui aiment le poisson et la cuisine savoureuse, pas nécessairement lourde.

- Pour se rappeler le Portugal.

- Atmosphère animée, niveau de décibels élevé.

- Grand restaurant avec beaucoup de place, donc on peut y aller en gang.

$$

Ouvert le midi, du lundi au vendredi
Ouvert le soir, du lundi au samedi
Fermé le dimanche

438, rue McGill, Montréal
514 878-1555
www.restauranthelena.com

Kitchenette

Le chef qui a lancé le restaurant n'est plus là, mais ses successeurs ont su bien prendre la relève et préserver une cuisine de qualité, goûteuse, bien faite, costaude, mais jamais lourde. Le style américain est encore au rendez-vous. Beignets de tomates vertes, *brisket*, *short ribs*, *lobster roll*, etc. Et les saveurs sont toujours là, que ce soit le midi ou le soir. On aime d'ailleurs les gros tacos et les burgers du lunch, et le fait que la cuisine ne travaille que les poissons et fruits de mer issus d'une pêche durable. Oh, que dire du sundae au toffee et aux Cracker Jacks ? Miam.

Un jour, quand j'aurai vraiment très, très faim, j'essaierai au dessert la Mississippi Mud Pie, classique américain décadent à la crème, mais surtout au chocolat. Je ne crois pas qu'on en serve à bien d'autres endroits à Montréal.

- Un des meilleurs restaurants pour le lunch dans ce quartier.

- Pour un repas pas banal avec les gars.

- Pour se retrouver en gang après le bureau.

- Pour de la cuisine américaine du sud, qui s'éclate savoureusement.

$$ ou $$$

Ouvert le midi, du lundi au vendredi
Ouvert le soir, du mardi au samedi
Fermé le dimanche

1353, boulevard René-Lévesque Est, Montréal
514 527-1016
www.kitchenetterestaurant.ca

Liverpool House

Le bruit est trop imposant chez ce petit frère de Joe Beef pour s'y rendre en tête-à-tête d'amoureux. Et autant service qu'atmosphère et décor très relax, très conviviaux, joliment rétro, se prêtent à des soirées aux tablées nombreuses, généreuses. Donc on débarque au Liverpool House entre amis, on choisit peut-être une table avec des banquettes, on commande des huîtres — le Liverpool House est l'une de ces rares adresses où l'on peut en manger de vraiment bonnes depuis toujours, présentées professionnellement — et une bonne bouteille de blanc, et on lance le repas. Au menu, la cuisine du marché, où l'on utilise certains des légumes poussant dans le jardin derrière le Joe Beef.

Il est plus facile d'avoir une réservation au Liverpool House qu'au Joe Beef, la porte à côté. Un excellent plan B.

- Ambiance rétro, mais animée.

- Parfait pour un repas en gang.

- Excellente carte des vins.

- Conseillé aux amateurs de bonne cuisine du marché, mais déconseillé aux pointilleux côté service.

- À deux pas du marché Atwater.

$$

Ouvert le soir, du mardi au samedi
Fermé le dimanche et le lundi

2501, rue Notre-Dame Ouest, Montréal
514 313-6049
www.joebeef.ca

Pizzeria Gema

La Pizzeria Gema a ouvert en plein été 2014 et promettait déjà d'être mon resto préféré de 2015. La carte des vins est remplie de bonnes bouteilles à prix raisonnables, les antipasti sont préparés avec soin, les pizzas cuites au four à bois comme Il se doit sont délicieuses, il y a un comptoir de glaces pour terminer le repas en douceur avec les enfants. Que demander de plus ? Ah oui, l'atmosphère est conviviale et se prête tout à fait à des repas en famille un peu chaotiques. J'adore.

La Pizzeria Gema est le deuxième restaurant du duo qui est derrière Impasto : l'animateur et auteur de livres de cuisine Stefano Faita et le chef Michele Forgione.

- Pour de la délicieuse pizza.
- Pour un repas en famille chaleureux.
- Pour manger entre amis.
- Pour un tête-à-tête si les décibels ne nous dérangent pas.
- La maison ne prend pas les réservations.

$$

Ouvert le midi, du jeudi au samedi
Ouvert le soir, du mardi au samedi
Fermé le dimanche et le lundi

6827, rue Saint-Dominique, Montréal
514 419-4448

Le Gros Jambon

Chaque fois que j'entre au Gros Jambon, j'ai l'impression d'être dans un *greasy spoon* québécois traditionnel de mon enfance, réinventé et amélioré. On y sert hamburgers, hot dogs, poutines… Mais il y a aussi un sandwich bacon-laitue-tomate avec du canard, un *mac and cheese* aux quatre fromages, et le *grilled-cheese* peut être enrichi de homard ! Ce n'est pas un restaurant aux plats allégés. Mais on y propose quelques salades — bonjour l'ail — et de bons sandwichs. La semaine, Le Gros Jambon n'est pas ouvert pour le petit-déjeuner, mais le week-end, on y offre le brunch.

Voilà un moment que je n'ai pas vu mon plat préféré du Gros Jambon au menu : les Jos. Louis maison. Pourtant, ils sont délicieux !

- Pour amuser les enfants qui aimeront tout du menu.

- Pour un lunch rapide.

- Pour des touristes qui veulent manger un lunch de fast-food artisanal très traditionnel.

- Pour ceux qui aiment bien tout ce qui est rétro.

$

Ouvert le midi, tous les jours
Ouvert le soir, du lundi au samedi
Brunch le samedi et le dimanche

286, rue Notre-Dame Ouest, Montréal
514 508-3872
www.legrosjambon.com

Pizzeria Magpie

On vient ici pour la pizza. Il y a d'autres petits plats — huîtres, salade de kale, raviolis maison —, mais c'est la pizza qui nous ramène sur les lieux. Toujours préparée avec simplicité dans l'immense four à bois installé au fond du restaurant, toujours bonne parce que les ingrédients choisis sont de qualité : mozzarella fraîche et tendre, grosses feuilles de basilic, tomates San Marzano. Le tout dans l'atmosphère *hipster* typique du quartier. On regarde l'ardoise pour des plats de la semaine.

Ma pizza préférée dans ce genre de restaurant ? La Margherita, la plus simple — tomates, mozzarella, basilic —, celle qui ne peut cacher aucun défaut.

• Pour une sortie en famille pas compliquée.

• Pour une bonne pizza cuite au four à bois.

• On boit de la bière avec la pizza, comme en Italie.

$

Ouvert le midi, du mercredi au vendredi
Ouvert le soir, du mardi au dimanche
Fermé le lundi

16, rue Maguire, Montréal
514 507-2900
www.pizzeriamagpie.com

Bottega

Grande urbaine devant l'éternel, je ne suis pas une fan des restaurants de banlieue installés au bord des autoroutes, mais la Bottega est l'exception qui confirme la règle. J'aime même regarder, par les immenses fenêtres, les voitures passer sur la 15. On se croirait à Los Angeles. Et la pizza ? Elle est excellente. Cuite au four à bois avec une pâte de grande qualité, elle est vraiment proche de celle qu'on mange dans le sud de l'Italie, avec une croûte tout en croquant à l'extérieur et en moelleux à l'intérieur. La Bottega compte aussi une succursale à Montréal, l'originale en fait, rue Saint-Zotique.

Pour l'expérience vraiment italienne, on choisit des garnitures simples : tomates, mozzarella, olives, anchois… Ou alors on fait une folie : on s'offre la pizza avec des tranches de truffe noire.

- Pour une sortie pas compliquée avec les enfants. Un vendredi. Ou un mardi, pourquoi pas ?
- Pour une sortie en famille et avec les grands-parents, les cousins, les voisins...
- On n'oublie pas de réserver.
- Pour se rappeler un voyage en Italie ou s'y préparer.

$$

Ouvert le soir, du mardi au dimanche
Fermé le lundi

2059, boulevard Saint-Martin Ouest, Laval
450 688-1100

65, rue Saint-Zotique Est, Montréal
514 277-8104

www.bottega.ca

Prato Pizzeria

Ici, la cuisine est sans chichi, et les pizzas sortent du four à bois un peu asymétriques. Et le décor n'est pas particulièrement charmant. Qu'importe. Les pizzas sont bien faites, avec de bons produits. Et la pizza y est tellement meilleure que celle des grandes chaînes industrielles où tout est trop gras, trop salé. Bref, une autre pizzeria où il est agréable d'aller en famille. Et les enfants adorent jouer au *baby-foot* situé au fond du restaurant.

Comme toujours, on choisit les pizzas avec les garnitures les plus classiques si on veut se la jouer vraiment à l'italienne, comme mozzarella, basilic, tomates. Tout simplement.

- Pour un bon repas en famille.
- Pour un lunch pas compliqué dans le quartier de Schwartz's (un plan B si la file d'attente de Schwartz's vous fait peur).
- Pour un repas en groupe même si on arrive deux familles ensemble. Il y a de la place !

Ouvert le midi et le soir, du lundi au samedi
Fermé le dimanche

3891, boulevard Saint-Laurent, Montréal
514 285-1616

Solémer

Ce restaurant de la rue Sauvé, coin l'Acadie, s'appelait autrefois La Sirène de la mer. Maintenant, il s'appelle Solémer. Comme c'est généralement la tradition chez les Libanais, l'accueil y est chaleureux pour les familles. D'ailleurs, le lieu est rempli de grands clans qui s'y rassemblent joyeusement, de l'arrière-grand-père au plus petit des bébés. La cuisine libanaise classique y est savoureuse et constante. Fatouche, taboulé, baba ghannouj... en passant par toutes sortes de poissons, crustacés et coquillages qu'on fait griller après les avoir choisis à la poissonnerie à côté. Bon nombre de décibels, incroyable patience des serveurs, atmosphère franchement conviviale.

Il y a une terrasse pour manger *al fresco* dès qu'arrivent les beaux jours.

- Les enfants y sont accueillis avec le sourire.
- Pour amateurs de cuisine libanaise et de poissons grillés.
- On peut y aller en groupe nombreux, il y a de la place.
- Ne pas oublier de réserver.
- Le service demeure efficace même avec de grandes tablées.

$$

Ouvert le midi et le soir, tous les jours

1805, rue Sauvé Ouest, Montréal
514 332-2255
www.solemer.ca

Moonshine Barbecue

Installé sur le boulevard Décarie, loin des adresses à la mode, le Moonshine Barbecue se spécialise dans le style de nourriture que les enfants et les ados adorent. Des côtes levées, du porc effiloché, du macaroni au fromage, des croquettes de pommes de terre... Les jeunes propriétaires ont pris soin d'accrocher des lampes faites de pots Mason, d'arracher les vieux panneaux de plâtre pour dégager l'endroit, de mettre des conserves maison sur un mur pour un peu de chaleur. On va au comptoir pour lire à l'ardoise ce qui a été cuisiné ce jour-là. On commande, puis on se fait livrer le repas à la table. Le plat familial géant, le Champion, une sorte de sélection d'un peu de tout, livré dans une immense lèchefrite où l'on se sert à la bonne franquette, nous a coûté 58 $ et a copieusement nourri 4 ados et des parents. Puis les restes se sont retrouvés dans notre frigo, à la maison, sous forme de *doggie bags*. Appétits d'ogre bienvenus.

Un des bons rapports qualité-prix en ville pour nourrir ces adorables estomacs sans fond que sont les adolescents.

• Pour un repas familial sur place ou pour emporter.

• Idéal pour un retour de camp de vacances, comme si le barbecue prolongeait l'été.

$

Ouvert le midi, du mardi au vendredi
Ouvert le soir, du mardi au dimanche
Fermé le lundi

5625, boulevard Décarie, Montréal
514 508-5511
www.moonshinebbqmtl.com

Blackstrap BBQ

Je ne sais pas chez vous, mais, chez moi, les ados adorent les côtes levées. Et ici, elles sont tellement bonnes qu'elles valent carrément le détour jusqu'à Verdun! Le menu est court, mais réussit à être diversifié : porc, poulet, poitrine de bœuf (*brisket*) et même dinde. Tout ça est fumé, braisé, assaisonné avec des mélanges d'épices complexes, des sauces sucrées... Les assiettes sont servies avec salade de chou, macaroni au fromage en cubes panés, frites, verdures braisées. Vaut mieux arriver dans ce restaurant avec un bon appétit, car les portions sont généreuses, et le poulet fumé et frit vaut la peine d'être essayé...

Tout le sud-ouest de Montréal se transforme, et on y trouve de plus en plus d'adresses variées. Le Blackstrap BBQ, à Verdun, est une de celles qui non seulement ajoutent beaucoup au quartier, mais nous attirent dans ce coin de la ville.

- Pour les amateurs de viandes fumées et de côtes levées.

- Pour un lunch ou un souper rapide, sans façon, avec des ados.

- Tables de réfectoire sympathiques pour se faire des amis.

$

Ouvert le midi et le soir, du lundi au samedi
Fermé le dimanche

4436, rue Wellington, Montréal (Verdun)
514 507-6772
www.blackstrapbbq.ca

Le Cheese Truck

À la fois camion de cuisine de rue et adresse avec pignon sur rue à Notre-Dame-de-Grâce, Le Cheese est une petite adresse sympathique sans prétention, qui se spécialise dans à peu près tout ce qui s'appelle macaroni au fromage et sandwichs au fromage fondu. On décline ces plats avec des légumes — délicieux *grilled-cheese* aux beignets de tomates vertes ! —, du bacon, du porc effiloché… C'est décadent, riche, savoureux. Et on n'a pas faim en sortant. Le genre de cuisine que les ados apprécient. Le lieu est tout simple. Quelques tables et un menu écrit sur un tableau noir.

Pour savoir où est rendu le camion qui sillonne les rues de Montréal avec ses *grilled-cheese* et son macaroni au fromage avec extra bacon, on cherche sa page sur Facebook.

• Pour un repas rapide consistant.

• Pour faire plaisir à des ados ou des enfants.

 $

Ouvert le midi et le soir, du mardi au dimanche
Fermé le lundi

5843, rue Sherbrooke Ouest, Montréal
514 557-3824
www.lecheesetruck.com

M : BRGR

Pour un repas en famille, qui fait plaisir aux ados, j'envoie souvent mes amis à ce restaurant spécialiste des hamburgers de qualité, dont les propriétaires sont aussi chez Moishes, un des meilleurs restaurants de bœuf en ville. Ici, le hamburger n'est pas banal. Bœuf de Kobe, foie gras, mayo à la truffe… Vous l'aurez deviné, tous les classiques de l'univers du fast-food nord-américain — burgers, mais aussi hot dogs, poutines, macaroni au fromage, etc. — sont transportés à un tout autre niveau. Mon coup de cœur ? Les frites de patates douces, juste assez croustillantes. On accompagne le repas d'une bière ou d'un verre de vin, dans un décor moderne et une ambiance vivante.

Il y a toutes sortes d'options pour les végétariens, en commençant par un burger de champignons portobellos.

- Pour un repas du midi pas compliqué et intéressant, pour placoter avec un collègue.
- Pour un repas en famille qui plaît à tous.
- Décor moderne et allumé.
- Assez bruyant.
- Brunchs les week-ends.

$ ou $$

Ouvert le midi et le soir, tous les jours
Brunch le samedi et le dimanche

2025, rue Drummond, Montréal
514 906-0408
www.mbrgr.com

L'Anecdote

L'Anecdote ne change pas, et c'est tant mieux. C'est ici qu'on se réfugie pour un bon hamburger, sur le Plateau, maintenant que La Paryse a fermé. L'Anecdote prépare de bons hamburgers depuis toujours, bien avant, en tout cas, que la mode de la cuisine ménagère réinventée s'installe en ville. Burgers à l'agneau, au cerf, au poulet... On les garnit de toutes sortes d'ingrédients comme le guacamole, le fromage bleu, les champignons ou la mayonnaise maison épicée. Le matin, les petits-déjeuners sont apprêtés avec le même souci. On y va en famille. Parfois, il faut attendre pour avoir une place. Le menu propose aussi des plats aux végétariens.

Pour assouvir une envie de hamburger sans avoir l'impression de manger du *junk food*.

• Pour un repas rapide et délicieux.

• On y va avec les enfants. Ils sont les bienvenus.

• Pour les petits-déjeuners préparés avec soin.

$

Ouvert le matin, le midi et le soir, tous les jours

801, rue Rachel Est, Montréal
514 526-7967

Les suggestions de…

Raphaële Germain

J'ai connu la romancière Rafaële Germain quand je m'occupais du cahier « Actuel », dans *La Presse*, il y a une douzaine d'années. Je lui avais confié une chronique d'humeur alors qu'en marge de mes fonctions de coordonnatrice je commençais à écrire sur la gastronomie. Et je finissais souvent par tester mes idées et mes impressions auprès d'elle parce que Rafaële fait partie de ces gens qui ont commencé à aller au resto bébé et n'ont jamais cessé. Ce que j'ai toujours aimé de cette femme drôle et attachante, c'est qu'elle n'a pas peur de manger, qu'elle mord à belles dents autant dans un sushi que dans une « plogue à Champlain » au Pied de cochon. Aujourd'hui, plusieurs romans à succès et un bébé plus tard, elle habite dans le 450, et je lui ai demandé de me parler de ses adresses préférées.

BEAUBIEN NOUVEAU SYSTÈME

« Un comptoir de fast-food comme on les aime, vintage, pas pour faire cute, mais parce qu'il l'est vraiment. Si la poutine vaut le détour, ce sont les hot dogs vapeur qui placent le Nouveau Système au panthéon des incontournables montréalais. Si en plus vous les prenez *all-dressed*, extra mayo, votre journée sera faite, promis, juré. »

323, rue Beaubien Est, Montréal / 514 273-3708

FUNG SHING

« C'est chez Fung Shing, dans un décor qui souligne avec brio le désintérêt total des proprios pour le design, que j'ai découvert la grandeur et la simplicité d'une vraie soupe wonton traditionnelle. Ajoutez à cela des dumplings frits et, pourquoi pas, des crevettes sel et poivre, et vous repartirez dans un état de félicité digestive fort agréable. On caresse le projet, ambitieux, de passer à travers le volumineux menu. »

1102, boulevard Saint-Laurent, Montréal / 514 866-0469

LE MITOYEN

« "On venait manger au Mitoyen quand t'avais pas deux ans. On venait de Montréal", répète souvent ma mère. Elle insiste beaucoup sur "de Montréal", comme si le fait de s'entasser à six dans la Pacer 1976 pour traverser la rivière des Prairies jusqu'à Laval constituait un exploit.

Que venaient-ils donc chercher, ces audacieux citadins, dans la belle maison centenaire située près de l'église de Sainte-Dorothée? Richard Bastien n'était pas un chef professionnel, mais sa femme et lui avaient ouvert un établissement chaleureux, où on servait des plats simples et frais, concoctés à partir d'ingrédients que leur procuraient les producteurs maraîchers du coin. Manger local? Cette conception de la gastronomie, bien acquise aujourd'hui, était encore avant-gardiste à l'époque.

Trente-cinq ans plus tard (un exploit dans le milieu de la restauration), le constat reste le même, et chaque visite au Mitoyen s'avère une petite célébration. Qu'on soit sur la charmante terrasse ou près du feu, on attend chaque plat comme s'il s'agissait d'une fête, l'exaucement d'un désir qu'on ignorait avoir.

Tout fonctionne au Mitoyen. Le service est discret, chaleureux et irréprochable. La carte des vins est inventive et parfaitement adaptée au menu. Et sortent de la cuisine des plats d'une grande finesse et d'une belle intelligence. Tout cela, en plus, sans l'ombre d'un flafla – un détail qui n'est pas insignifiant quand on pense que l'absence de prétention, dans la très grande cuisine, se fait de plus en plus rare.

Allez donc y faire un tour. De Montréal, s'il le faut. Ma mère va être fière de vous. »

652, rue de la Place Publique, Laval / 450 689-2977
restaurantlemitoyen.com

Photo : Sarah Scott

QUEL PRIX VOULEZ-VOUS PAYER ?

Barcola Bistro

Gros coup de cœur pour ce tout petit restaurant italien très abordable du Mile-End. Un des meilleurs rapports qualité-prix en ville. Un menu dégustation à 16$, vous avez vu ça souvent? C'est pourtant ce que Barcola offre le jeudi. Évidemment, les portions ne sont pas gigantesques, on parle même de format *aperitivo*, mais tout est savoureux, des pâtes aux tartines aux crevettes nordiques, et toujours inspiré de la cuisine du nord-est de l'Italie. Pensez Venise, Trieste… Choix de vins au verre et d'apéritifs classiques italiens, notamment le Bellini ou l'Aperol au prosecco. À essayer. Mais ne pas oublier de réserver.

Quand il fait beau et chaud, on s'installe sur la petite terrasse qui donne sur l'avenue du Parc. Le tout est très urbain, mais convient bien au style des lieux… Quand on est en ville en Italie, on mange souvent dans la rue, n'est-ce pas?

- Pour un bon petit repas entre amis, pas cher.
- Pour se plonger dans un sentiment de vacances en Italie.
- Pour un tête-à-tête rapide avant un spectacle.
- Pour les *aperitivos* du jeudi et autres soirées thématiques.

$$

Ouvert le midi et le soir, du mercredi au samedi
Brunch le dimanche
Fermé le lundi et le mardi

5607, avenue du Parc, Montréal
438 384-1112
www.barcolabistro.com

Le Comptoir charcuteries et vins

Quand on me demande une recommandation pour un restaurant pas trop cher, je pense toujours en premier à cette petite table de la rue Saint-Laurent, avec sa jolie carte des vins, son menu abordable mais jamais ennuyeux, son atmosphère très vivante. Le Comptoir charcuteries et vins fait partie de ces restaurants où il est facile de s'arrêter pour prendre un verre et une bouchée, pour s'asseoir au bar, pour rencontrer des amis. Tarte de tomates ancestrales à 11 $, artichaut barigoule et esturgeon fumé à 16 $. On utilise des ingrédients modestes, on les travaille bien, on produit des plats savoureux. Le plat principal le plus cher le soir : 18 $.

Le Comptoir compte maintenant un petit frère : La Réserve du comptoir, angle Amherst et Ontario, pour des sandwichs et des charcuteries.

• Pour la carte des vins abordables.

• Pour les charcuteries.

• Niveau de bruit quand même costaud.

• On peut prendre un verre de vin et manger simplement une bouchée.

$ ou $$

Ouvert le midi, du mardi au vendredi
Ouvert le soir, tous les jours
Brunch le dimanche

4807, boulevard Saint-Laurent, Montréal
514 844-8467
www.comptoircharcuteriesetvins.ca

Le Labo culinaire

Ceci n'est pas un restaurant, c'est un labo un peu *hipster*, très nature. On y fait des expériences. Le menu change constamment. On choisit des thèmes : sud de l'Italie, Allemagne, barbecue... On choisit des importateurs de vins. On organise des événements d'un soir ou d'un week-end. On sort tout le monde sur l'immense terrasse, d'où l'on voit le dôme de la Société des arts technologiques et les projections sur les bâtiments des alentours. Bref, rien de banal, mais toujours de l'abordable. La cuisine est ouverte, et le service, parfois décousu. Un lieu où l'on va découvrir, bien manger, bien boire, sans le moindre chichi.

Parfait pour une bouchée avant ou après un spectacle, pour manger sans trop flamber, prendre un bon verre de vin.

- Pour prendre un verre et une bouchée.
- On y emmène des visiteurs étrangers pour leur montrer le Montréal créatif.
- Fréquenté par une foule très techno, design, musique et très *foodie*.

$ ou $$

Ouvert le soir, du lundi au vendredi
Fermé le samedi et le dimanche

Société des arts technologiques
1201, boulevard Saint-Laurent, Montréal
514 844-2033
www.sat.qc.ca

Lannes & Pacifique

Ici, la cuisine n'a rien d'excentrique. On y mange juste très bien. Et on apporte son vin, son bon vin, car c'est une table qui le mérite. Poulet croustillant sur salade, daurade et pieuvre sur ratatouille déconstruite, bar noir dans un ragoût de petits pois, pommes de terre nouvelles, lardons, oignons... Costaud côté saveurs, mais doux dans l'estomac. Lorsqu'on prend le menu du jour, on nous apporte en prime toutes sortes de mignardises, amuse-bouches, trous normands, etc. La décoration moderne mais chaleureuse est sympathique. L'ambiance aussi. On va chercher une bonne bouteille pas loin, à la super succursale de la Société des alcools de la rue Beaubien.

Lannes & Pacifique fait partie d'une grande famille d'« apportez votre vin » montréalaise qui compte notamment O'Thym dans le Village ou Smoking Vallée à Saint-Henri.

- Un bon « apportez votre vin ».
- Pour un repas en tête-à-tête.
- Pour un souper de filles ou avec des copains.
- La succursale Beaubien de la SAQ n'est pas loin.

$$

Ouvert le soir, tous les jours

200, rue Beaubien Est, Montréal
514 439-1001
www.lannesetpacifique.com

Dur à cuire

C'est nulle autre que la sympathique coureuse et mairesse de la ville de Longueuil, Caroline St-Hilaire, qui m'a fait découvrir ce charmant « apportez votre vin » de la Rive-Sud. Potage de chou-fleur riche et onctueux, médaillon de veau et poulpe, plateau de charcuteries, huîtres… L'originalité n'est pas débordante. On sert des recettes qui marchent déjà. Mais le résultat est fort bon. En entrée, par exemple, le tartare de saumon aurait pu n'être qu'un autre cliché, mais il est particulièrement lumineux, juste assez relevé, très frais avec ses carottes et ses morceaux de pamplemousse. Et les pacanes pour le croquant ? Une idée baroque, mais qui s'en sort sans devenir un faux pas. Une acrobatie rare. Bref, une jolie découverte de la dernière année.

Eh oui, un autre restaurant avec une tête de cervidé empaillée sur le mur. Mais on l'aime quand même !

- Pour boire une bonne bouteille sans avoir à payer un prix de fous.

- Pour un lunch d'affaires.

- Pour un repas entre copains le soir.

- Niveau de décibels élevé.

- Très vivant et sympathique.

$$

Ouvert le midi, du mardi au vendredi
Ouvert le soir, du mardi au dimanche
Fermé le lundi

219, rue Saint-Jean, Longueuil
450 332-9295
www.duracuire.ca

Tandem

Il y a dans Villeray une adresse sans prétention, dotée d'un menu de bistro européen bien sympathique. Où l'on peut apporter son vin. La terrasse est toute simple, sur le trottoir. Le décor est tout aussi modeste et sans façon. Carré d'agneau aux herbes de Provence, filet mignon de veau aux champignons, médaillon de cerf rouge des Appalaches… Vous voyez le style. On apporte un bon bordeaux ou un vin du Languedoc. En fait, on peut appeler au restaurant pour demander quel sera le menu et se faire recommander un vin qui ira avec le repas, avant de passer à la Société des alcools.

La maison offre des menus dégustation de cinq ou sept services. Et des tables d'hôte.

• Pour la terrasse.

• Pour boire du très bon vin à prix raisonnable.

• Ambiance tranquille pour repas à deux, calme et posé.

• Pour une soirée d'amis.

##

Ouvert le soir, du mardi au samedi
Fermé le dimanche et le lundi

586, rue Villeray, Montréal
514 277-3339
www.restauranttandem.com

Le Quartier général

Cerf de Boileau, canard de Marieville, lapin de Stanstead... Ce restaurant « apportez votre vin » installé rue Gilford, en plein cœur du Plateau, privilégie grandement les produits locaux, qu'on cuisine selon les trouvailles au marché ce jour-là. Pour moins d'une quarantaine de dollars, on a un bon repas. Pour un peu plus si on décide d'ajouter un dessert. Bref, il reste du budget pour passer à la SAQ et se trouver une bonne bouteille.

Il faut absolument réserver bien à l'avance dans ce restaurant « apportez votre vin » du Plateau, qui est fort populaire.

- Le Quartier général est aussi ouvert pour le lunch.
- Pour boire une bonne bouteille sans payer deux ou trois fois le prix de la SAQ.
- On y va en tête-à-tête, mais nombre de décibels assez élevé.
- Pour un repas avec les copains.

$$

Ouvert le midi, du lundi au vendredi
Ouvert le soir, tous les jours

1251, rue Gilford, Montréal
514 658-1839
www.lequartiergeneral.ca

Khyber Pass

En 2014, j'ai été ravie de lire un jour sur Twitter les remerciements de Guy A. Lepage, l'animateur de *Tout le monde en parle* et grand amateur de vins — et copropriétaire du restaurant Accords —, qui était allé manger chez Khyber Pass en suivant ma recommandation et en était reparti fort heureux. Au menu, une cuisine riche en épices et en saveurs parfumées. Soupes, ravioles, brochettes, riz et plats de la cuisine afghane nous réconfortent et nous réchauffent, et font écho à la décoration typique avec étoffes somptueuses et vêtements traditionnels suspendus, cartes explicatives, etc. Pour un bon repas exotique.

La cuisine afghane est peu piquante, on peut donc la faire découvrir aisément aux enfants et à tous ceux qui ont un peu peur des piments indiens ou thaïs.

• Idéal pour un repas en petit groupe ou en famille, car les portions sont copieuses. On partage.

• Prix très raisonnables.

• Un des bons « apportez votre vin » en ville, parce qu'original et exotique.

$

Ouvert le soir, tous les jours

506, avenue Duluth Est, Montréal
514 844-7131
www.restaurantkhyberpass.com

97

Mei

C'est l'ancien critique de restaurant du *Mirror*, Bartek Komorowski, qui m'a fait découvrir ce petit restaurant chinois de la rue Mackay, près de l'Université Concordia, où l'on sert une cuisine chinoise qui sort des sentiers battus nord-américains. Une belle découverte de 2014. Ici, on se régale de ravioles à la soupe – les *soup dumplings* où le bouillon est à l'intérieur –, ou encore de crêpes frites qui fondent dans la bouche sans qu'on ait le temps de dire haut et fort à quel point c'est délicieux. On choisit aussi le bœuf braisé à l'anis étoilé et à la coriandre fraîche, la salade de champignons noirs à l'oignon, les nouilles sichuanaises froides avec œuf dur mariné dans le soja et avec du concombre… On accompagne le tout d'une bière bien froide. Bon appétit !

Comme la plupart des restaurants chinois un peu authentiques, Mei est décoré de façon très simple. On n'y va pas pour l'ambiance, mais bien pour le plaisir des papilles et le sentiment d'être un peu en voyage dans sa ville.

- Restaurant très abordable.
- Pour un repas de semaine pas compliqué.
- Pour avoir l'impression d'être dans un pays tropical très lointain, ce qui est réjouissant en plein hiver.
- Pour un premier rendez-vous galant inusité.
- On n'emmène pas les beaux-parents ni tout autre personne craintive ou allergique aux piments forts.

$

Ouvert le midi et le soir, tous les jours

1425, rue Mackay, Montréal
514 288-1314
www.meirestaurant.com

Noodle Factory

Je suis un peu abonnée à ce restaurant chinois installé tout près de notre salle de rédaction. Et j'y prends toujours la même chose parce que, lorsque j'ai commencé à explorer ailleurs, j'ai été parfois déçue. Donc j'ai décidé de me fier aux valeurs sûres : les légumes sautés, les nouilles à la Shanghai — super dodues, un peu comme les udons japonaises — et les ravioles au bouillon. Pour que le serveur comprenne, vous pouvez aussi demander les *soup dumplings*. Cet endroit est toujours bondé, et il y a souvent une queue devant la porte. Mais la clientèle passe rapidement, alors on n'attend jamais très long-temps. Et les serveurs sont efficaces. Et ce n'est vraiment pas cher.

Le Noodle Factory est un endroit sympathique où aller luncher en famille le week-end. C'est alors moins bondé.

- Pour un lunch rapide savoureux, en semaine, ou alors durant le week-end, en famille.

- Parfait pour un repas vite fait avant une pièce de théâtre ou un concert : on est aux confins du Quartier des spectacles.

- Pour un tête-à-tête vraiment très informel pour amoureux fauchés, mais qui adorent voyager sans sortir de la ville.

- La salle est trop petite pour accueillir les groupes nombreux.

$

Ouvert le midi et le soir, tous les jours

1018, rue Saint-Urbain, Montréal
514 868-9738
www.restonoodlefactory.com

Arouch

Toute ma famille adore les lahmajouns de la chaîne de cuisine arménienne Arouch. Ce sont de petites pizzas qu'on roule en y ajoutant plein de garnitures fraîches : tomates, laitue, olives, navet mariné… Pourquoi aller manger dans les chaînes de fast-food américaines quand on peut manger si bien, si facilement, pour si peu cher ? Un sandwich coûte à peine 4 $. Et c'est si savoureux, rempli de thym, de fromage ou de viande épicée. On déguste le tout sur place, dans l'auto, en allant à un rendez-vous ou bien à la maison. Une bouchée et on a l'impression d'être au bord de la Méditerranée.

Il y a plusieurs succursales Arouch, mais il n'y en a aucune près de *La Presse !* Je le redemande : à quand un camion ?

- Pour de bons sandwichs originaux, frais et vraiment pas chers.

- Un des meilleurs rapports qualité-prix en ville pour ce genre de repas sur le pouce.

- Les enfants adorent, car ils peuvent choisir ce qu'ils veulent dans leur pizza.

$

Les heures varient selon les succursales

5216, chemin de la Côte-des-Neiges, Montréal

1600, boulevard De Maisonneuve Ouest, Montréal

917, rue de Liège Ouest, Montréal

3467, boulevard Saint-Martin Ouest, Laval

www.arouch.com

Kanbai

Chez les amateurs de cuisine chinoise un peu maniaques, il y a un débat. Est-ce que le Kanbai du quartier chinois est meilleur ou moins bon que celui de la rue Sainte-Catherine Ouest, près de l'Université Concordia ? Je crois que je préfère celui de la rue Sainte-Catherine, où j'adore la salade de méduse, le ventre de porc au concombre, mais surtout la soupe de poisson qui nage littéralement dans le poivre de Sichuan. Le lieu est aussi plus fréquenté par des jeunes et plus allumé. Bref, même si le Kanbai de la rue Clark est à deux pas de mon bureau, je continuerai à aller à celui du nouveau quartier chinois. En Bixi, ça se fait très bien !

La nouvelle immigration chinoise nous apporte une cuisine plus authentique, plus variée, celle que les jeunes apprécient. Le Kanbai est un magnifique exemple du renouveau chinois à Montréal.

- Pour se rappeler de beaux souvenirs de voyage.
- Pour un souper avec des amis et partager des plats différents.
- Pour un repas surprenant à prix super raisonnable.
- Pour voir la jeunesse asiatique montréalaise.
- Pour un tête-à-tête avant ou après le cinéma.

$

Ouvert le midi et le soir, tous les jours

1813, rue Sainte-Catherine Ouest, Montréal
514 933-6699

1110, rue Clark, Montréal
514 871-8778

Les suggestions de...

Sophie Banford

Éditrice des magazines *Châtelaine* et *Loulou*, autrefois pilote de *Clin d'œil*, du magazine *Signé M* de Louis-François Marcotte, de *Moi & cie* et de quelques autres publications, Sophie Banford sort beaucoup. Ici et ailleurs, avec sa famille ou ses amis, pour découvrir de nouvelles adresses partout, bien manger et boire du bon vin. Si vous vous imaginez que pour être belle et svelte, et avoir l'air d'une gamine toujours à la fine pointe de la mode, il faut vivre une vie d'ascète, détrompez-vous ! Je le sais, c'est mon amie. On court et on savoure la vie au même rythme.

On peut apercevoir Sophie un peu partout en ville, mais il y a des adresses qu'elle affectionne particulièrement. Les voici.

LA BRASSERIE CENTRAL

« Restaurant de quartier, j'y vais pour toutes sortes de raisons bien précises. D'abord pour l'assiette de jambon serrano avec parmesan, miel et huile de truffe. J'y vais également pour les huîtres fraîches. Mais je choisis aussi le Central à cause de l'accueil chaleureux de Paolo, le proprio. En plus, c'est vraiment tout près de chez moi. Donc je peux y aller à pied. Et revenir à pied. L'été, il y a une petite terrasse juste devant la porte. J'y ai passé de bien belles soirées. »

4858, rue Sherbrooke Ouest / 514 439-0937
www.brasserie-central.com

LE PULLMAN

« C'est certainement l'endroit où je suis allée le plus souvent. Depuis son ouverture, j'y vais avant, après et même pendant un spectacle — quand je file à l'entracte ! La parfaite réunion de ce que j'aime : de petits plats — super bons — à partager, un choix de vins au verre intéressant, une déco qui ne vieillit pas, de l'ambiance sept jours sur sept. »

3424, avenue du Parc, Montréal / 514 288-7779
www.pullman-mtl.com

BOUILLON BILK

« Un resto dans un endroit improbable – situé à côté d'un magasin de pneus – où la cuisine s'impose, raffinée et délicieuse. Le service est impeccable, et la carte des vins, vraiment intéressante, remplie de crus de grande qualité pas nécessairement hors de prix, rend mon chum – un amateur sérieux – heureux. Que demander de plus ? »

1595, boulevard Saint-Laurent, Montréal / 514 845-15956
www.bouillonbilk.com

OLIVE ET GOURMANDO

« Je travaillais dans le Vieux-Montréal quand ce café a ouvert ses portes et, 14 ans plus tard, je suis toujours aussi fan de leurs pâtisseries, de leurs sandwichs et des salades. D'ailleurs, on y mange la meilleure César en ville. »

351, rue Saint-Paul Ouest, Montréal / 514 350-1083
www.oliveetgourmando.com

CAFÉ FALCO

« J'adore cet excellent café du Mile-End. J'aime la déco postindustrielle, et l'ambiance est parfaite. En plus, on y sert les viennoiseries de la Boulangerie Guillaume ! Au lunch, la cuisine est à la fois japonaise et locale, dans un esprit léger, savoureux, jamais lourd. Les produits sont souvent bio et d'ici. Impeccable. »

5605, avenue de Gaspé, Montréal / 514 272-7766
www.cafefalco.ca

BOULANGERIE GUILLAUME

17, avenue Fairmount Est, Montréal / 514 507-3199
www.boulangerieguillaume.com

LE CARTET

« J'aime cet endroit qui est à la fois un café, un restaurant pour le lunch, un comptoir où on va acheter un repas à emporter, une épicerie où l'on trouve toutes sortes de produits fins. J'y vais pour l'ambiance, et j'en repars les mains pleines de Carambar ! »

106, rue McGill, Montréal / 514 871-8887
www.lecartet.com

Photo : Maude Chauvin

QUEL GENRE DE CUISINE VOULEZ-VOUS GOÛTER ?

Vin Papillon

La troisième table de l'équipe derrière Joe Beef et Liverpool House n'est pas un restaurant végétarien ni un comptoir à salades. C'est un bar à vins piloté par la sommelière du Joe Beef, Vanya Filipovic, et le chef Marc-Olivier Frappier, où l'on se spécialise dans les crus de petits producteurs indépendants. Mais ce que je retiens surtout du Vin Papillon, c'est le menu composé en grande partie de plats de légumes travaillés : chou-fleur à la rôtissoire, rabioles braisées, choux de Bruxelles confits… Les assiettes apportent plaisir et surprise. On ajoute ici du jambon, là du fromage ou du gras de canard s'il le faut. Mais c'est frais et craquant. Surtout que les légumes utilisés proviennent de producteurs locaux, du jardin personnel du chef David McMillan et du petit potager situé à l'arrière du Joe Beef.

La terrasse en été, à l'arrière du restaurant, est vraiment urbaine, vraiment sympathique.

- Plus léger – et pas mal moins cher – que le Joe Beef.

- Pour un repas entre amis.

- Pour rencontrer des gens, notamment si on s'assoit aux tables de réfectoire dans le jardin.

- À éviter si on déteste attendre.

$$

Ouvert le soir, du mardi au samedi
Fermé le dimanche et le lundi

2519, rue Notre-Dame Ouest, Montréal
www.vinpapillon.com

Mandy's

Je suis une grande amatrice de salades. Mais à part Olive et Gourmando, il n'y a pas des tonnes d'endroits qui en font de vraiment bonnes. Mandy's fait partie de ceux qui soignent les salades et, d'ailleurs, depuis qu'il a ouvert à Westmount, ce microrestaurant spécialisé en salades d'abord installé dans le Mile-End — avenue Laurier, à l'arrière de la boutique Mimi & Coco — cartonne. On y offre une multitude de compositions en tous genres. Avocats, laitues, tomates, concombres, haricots, œufs, bacon... Bonjour les combinaisons fraîches, variées, et les grosses portions.

Tout est servi dans des pots de plastique. Utile si on veut emporter. Décevant si on mange sur place, notamment sur la petite terrasse ouverte pour les beaux jours à la succursale de la rue Sherbrooke.

• Pour de belles et bonnes salades.

• Pour un lunch rapide, léger, tout en fraîcheur.

• Pour un repas à emporter.

Ouvert le midi et le soir, du lundi au vendredi
Ouvert en journée, le samedi et le dimanche

5033, rue Sherbrooke Ouest, Montréal
514 227-1640

201, avenue Laurier Ouest, Montréal
514 670-7820

www.mandys.ca

Santa Barbara

Je me rappelle lors de mon dernier passage avoir été déçue par certains plats, mais absolument ravie par tout ce qui était salades et plats à base de légumes. On a l'impression de mordre dans un jardin en plein mois d'août. Même la salade verte est spectaculaire, grâce à la combinaison de verdures savoureuses, et je ne parle même pas de la salade de chou frisé, avocat et graines de tournesol, complexe, croquante, craquante. Et en plus, la déco *shabby* chic est charmante et lumineuse.

L'ambiance générale nous donne l'impression d'être un peu à la campagne, en Nouvelle-Angleterre plutôt qu'en Californie, mais c'est charmant.

- Pour un repas avec une copine ou un copain végétarien, ou alors qui aime bien les légumes.
- Pour le brunch le week-end.
- Liste de vins sympa, mais courte.

$$

Ouvert le soir, du mardi au samedi
Brunch le samedi et le dimanche
Fermé le lundi

6696, rue Saint-Vallier, Montréal
514 273-4555
www.santabarbaramtl.ca

La Panthère verte

Je préfère la succursale du Mile-End, rue Saint-Viateur Ouest, à celle du centre-ville, près de l'Université Concordia, ou encore à celle de l'avenue du Mont-Royal, de cette minichaîne de restaurants dont il est difficile de croire qu'ils sont totalement végétaliens. Tout est préparé à partir d'ingrédients impeccables, biologiques. Les falafels, les smoothies de légumes et de fruits, les salades, les sandwichs… En semaine, la Panthère verte assure la livraison en vélo, renseignez-vous.

Malheureusement, les nouvelles succursales n'ont pas la déco intéressante, un peu zen mais recherchée, du tout premier restaurant de la rue Saint-Viateur.

• Pour un lunch pas cher, léger, pas compliqué.

• Pour un repas végétalien savoureux.

• Pour un lunch différent, santé, même si on n'est pas du tout végétalien.

$

Ouvert le midi et le soir, tous les jours
Ferme tôt en soirée, le dimanche

66, rue Saint-Viateur, Montréal
514 508-5564

2153, rue Mackay, Montréal
514 903-4744

145, avenue du Mont-Royal Est
514 503-4800

www.lapanthereverte.com

Pushap

En 2014, alors que je revenais de Toronto, où j'étais partie en reportage, j'ai rencontré dans le train un informaticien originaire de Bangalore, en Inde, qui m'a dit que, contrairement à la métropole ontarienne, Montréal n'avait pas grand restaurant indien digne de ce nom. Un seul, en fait, est vraiment authentique, m'a-t-il dit. « C'est le Pushap ! » Cette affirmation m'a ravie, car j'adore ce restaurant même si, selon les inspecteurs de la ville, ce n'est pas le temple de la propreté. Ici, c'est végétarien et sans alcool. Donc pas de bière, pas de viande. Les plats hyper savoureux débordent plutôt de légumes, de légumineuses, de produits laitiers, de noix et de farines de toutes sortes. Mais on est surtout surpris par la variété d'épices qui font ressortir toutes les saveurs des ingrédients. Décoration minimale.

Dans ce quartier improbable près du métro De la Savane, on trouve l'essence de la cuisine indienne à Montréal. Et n'oubliez pas de prendre un dessert avant de partir !

- Pour un repas vraiment pas cher.
- Une véritable adresse exotique qui sort des sentiers battus.
- Pour des idées végétariennes nouvelles.
- Pas de vin ni de bière.

$

Ouvert le midi et le soir, tous les jours

5195, rue Paré, Montréal
514 737-4527
www.pushaprestaurant.com

Saka-Ba !

Cette soupe aux nouilles japonaises, le ramen, est de plus en plus populaire en Amérique du Nord, et Montréal compte un nombre grandissant de tables qui en servent de délicieuses. La meilleure est probablement celle de Saka-Ba !, le nouveau restaurant de Junichi Ikematsu, le chef derrière le magnifique Jun-I, avenue Laurier. Pour préparer ses bouillons, ses nouilles, son porc, ses légumes, Junichi est aussi minutieux que pour son sushi. Chaque étape a l'air simple, mais demande beaucoup de soins et de temps. Chez Saka-Ba !, le décor un peu manga de brasserie japonaise est signé Jean-Pierre Viau.

On aime les grandes tables de réfectoire qui créent aisément une atmosphère très conviviale.

- Pour un repas du soir simple et réconfortant.

- Pour rencontrer des gens, puisqu'il y a un bar et des tables de réfectoire qui se prêtent aux échanges.

- Pour une première soirée d'amoureux relax, conviviale.

- Pour se rappeler ou préparer un voyage au Japon.

$

Ouvert le soir, tous les jours

1279, avenue du Mont-Royal Est, Montréal
514 507-9885
www.saka-ba.com

Biiru

Les proprios, Yann Levy et Yossi Ohana, D. J. de profession, ne sont pas japonais, mais on entre chez Biiru et on a l'impression de plonger dans une chambre d'adolescent fasciné par les bandes dessinées nippones. On s'amuse, on a envie de tout *instagrammer*. Il y a aussi des messages en japonais sur les chaises et toutes sortes d'objets décoratifs joyeux comme des masques, des bouteilles colorées. Est-ce un restaurant ? Est-ce un bar ? Le lieu est à la frontière entre les deux. On ne va pas au Biiru pour manger doucement en tête-à-tête. On s'assoit là plutôt avec les copains ou en famille – si on a des ados – et on commande à manger. Au menu : des algues, des poissons et du ramen, auquel on va jusqu'à ajouter du foie gras.

Autres bouchées sympathiques : les *gyoza*, des raviolis japonais aux légumes, dodus et parfumés, terminés à la poêle, donc légèrement croustillants.

- Pour prendre un verre au centre-ville avec une amie ou des collègues, après le bureau ou après un spectacle.
- Pour l'atmosphère *izakaya* sympathique, même si on ne nage pas dans l'authentique.
- Chouette décor, très manga.
- Cocktails très originaux.

$ ou $$

Ouvert le midi, du mardi au vendredi
Ouvert le soir, du mardi au samedi
Fermé le dimanche et le lundi

1433, rue City Councillors, Montréal
514 903-1555
www.biiru.ca

Kazu

En fait, tout le monde adore ce troquet japonais où l'on s'entasse après avoir attendu en file, rue Sainte-Catherine. Au menu : des plats de viandes braisées, de légumes. Du riz. Du poisson cru. On aime le porc cuit 48 heures, les crêpes de crevettes et, bien sûr, les généreux bols de ramen servis le midi. Du bouillon riche, des nouilles soyeuses, du porc fondant, des œufs et des légumes. Miam, si réconfortant ! Si on est seul, on s'assoit au bar. Et on regarde les cuisiniers travailler, incluant le chef d'origine japonaise – comme une bonne partie de l'équipe – qui est passé par le Toqué ! en arrivant au Canada.

Seul hic, on ne peut pas vraiment venir en gang de plus de quatre personnes, à moins d'être prêts à séparer le groupe. C'est vraiment petit. Mais vraiment cool.

- Comme dans une brasserie japonaise, on boit de la bière ou du saké et on mange.

- Pour sortir avec deux ou trois copains le soir.

- Pour un lunch rapide au centre-ville.

- Pour parler japonais !

$

Ouvert le midi, du dimanche au vendredi
Ouvert le soir, du mercredi au lundi
Fermé le mardi

1862, rue Sainte-Catherine Ouest, Montréal
514 937-2333
www.kazumontreal.com

Imadake

« *Irasshaimase* ! » Chaque fois que quelqu'un entre dans cette taverne, comme le veut la tradition, on lui crie « bienvenue » en japonais. Tous les serveurs et cuisiniers travaillant dans la cuisine ouverte embarquent. C'est festif. Sympathique. Toute l'ambiance de ce resto est joyeuse. Une fois, j'y suis allée un lundi soir de juillet. Tout était calme dans la ville à cause des vacances. Le lieu débordait d'étudiants célébrant je ne sais quoi. Le degré de décibels était élevé. Celui d'amusement aussi. En prime, la cuisine y est délicieuse. Brochettes de flanc de porc, morue noire, salade de daïkon…On vous apporte des baguettes ?

Imadake s'engage à travailler avec des ingrédients biologiques et des produits de la mer issus de la pêche durable.

- Pour sortir en groupe.

- Pour prendre un verre et manger.

- Pour passer une joyeuse soirée avec la jeunesse asiatique montréalaise.

- Nombre élevé de décibels.

Ouvert le midi, du lundi au vendredi
Ouvert le soir, tous les jours

4006, rue Sainte-Catherine Ouest, Montréal
514 931-8833
www.imadake.ca

Sumo Ramen

Ce restaurant n'est pas branché, chic ou éclaté, mais il est à deux pas du journal et j'y retourne régulièrement pour savourer un bon bol de ramen tout simple. Donc une grosse soupe aux nouilles dodues, soyeuses, agrémentée de viande de porc, d'un œuf poché, de quelques légumes. Le ramen est un art particulier. Il se prépare avec différents types de bouillons. On choisit donc celui que l'on préfère, avec miso, ou plutôt soja. On ajuste les garnitures. Le tout à un prix très raisonnable.

Partout dans le quartier chinois, on propose des soupes *pho*. Agréable de changer de style parfois et d'opter pour ce ramen japonais.

• Pour un repas pas cher, réconfortant.

• Pour se donner l'impression d'être un peu au Japon.

$

Ouvert le midi et le soir, tous les jours

1007, boulevard Saint-Laurent, Montréal
514 940-3668

Hamachi

Ma collègue Stéphanie Bérubé, qui connaît bien l'Asie et la Rive-Sud, ne jure que par ce petit restaurant de sushis de Boucherville, installé dans un minicentre commercial, entre un salon de beauté et un Mondou. Le chef, Luu Danh n'est pas japonais d'origine, il vient plutôt de Saigon et a grandi au Québec. Mais il est japonais dans sa façon de travailler. Tout est préparé sur place. Les légumes ont parfois droit à des marinades originales, comme le tofu qui a une saveur un peu fumée dans le sushi végétarien. Le chef cuisine le foie de lotte, l'anguille comme il se doit, cherche des ingrédients différents. Une jolie trouvaille excentrée de la métropole.

On peut commander sur place et emporter ou manger dans le restaurant. Il y a quelques tables.

- Pour de bons sushis, chose rare quand on habite la Rive-Sud.
- Pour un bon repas à emporter à la maison et à déguster habillé en mou, avec une petite bière.
- Pour un pique-nique romantique, l'été, au bord du fleuve.

$$

Ouvert le midi et le soir, du mardi au vendredi
Ouvert en après-midi et le soir le samedi et le dimanche
Ferme tôt en soirée
Fermé le lundi

690, rue De Montbrun, Boucherville
450 906-3838
www.sushihamachi.ca

Park

Antonio Park est né en Argentine, ses parents sont d'origine coréenne, il fait de la cuisine plutôt japonaise et il adore le sirop d'érable ! Et son restaurant est à Westmount. Après avoir travaillé au 357C, au Kaizen et même brièvement chez Masa, à New York, il a ouvert son propre restaurant rue Victoria, où l'on peut le voir cuisiner derrière son comptoir. Il cuisine beaucoup de poissons, qu'il tue par acupuncture, et de coquillages qu'il sait apprêter doucement pour qu'ils demeurent fondants, savoureux, impeccables. Une jolie table dans un décor ultra-dépouillé.

Pour profiter de l'expérience, on s'assoit au comptoir et on regarde le chef travailler.

- Pour de bons sushis.

- Pour une cuisine asiatique fusion créative.

- Pour un tête-à-tête ou un repas à quatre.

- Pour un bon repas dans un quartier qui compte peu d'adresses intéressantes.

$$

Ouvert le midi et le soir, du lundi au samedi
Brunch le samedi
Fermé le dimanche

378, avenue Victoria, Westmount
514 750-7534
www.vicpark.com

Tri Express

La meilleure façon d'apprécier la cuisine du chef Tri Du — salades, makis, cornets complexes et montages croquants-fondants — est de s'installer au comptoir et de le regarder travailler. Ses compositions sont amusantes et préparées avec du poisson impeccable. Le lieu est surprenant, rempli d'objets hétéroclites, de tables de marbre, de gens du quartier qui ont l'air de se régaler. On peut manger dehors quand il fait beau. On peut aussi commander pour emporter et se faire un festin à la maison, avec toute la bière ou le saké qu'on veut. Parce que le restaurant n'a pas de permis d'alcool.

Un des meilleurs comptoirs à sushis indépendants et créatifs en ville.

- Pour faire plaisir à un amateur de sushis.
- Pour un lunch.
- On commande et on fait un pique-nique.
- Pas de carte des vins et on ne peut pas apporter de bouteille non plus.

$$

Ouvert le midi, du mardi au vendredi
Ouvert le soir, du mardi au dimanche
Fermé le lundi

1650, avenue Laurier Est, Montréal
514 528-5641
www.triexpressrestaurant.com

Jun-I

Lorsque je demande à des Japonais habitant Montréal quel est leur restaurant nippon préféré, le Jun-I revient systématiquement. Il faut dire que cet établissement est un classique. Le chef Junichi Ikematsu y prépare des sushis et sashimis impeccables. De plus, la liste de sakés y est longue et authentique. Mais on y trouve aussi des plats de viandes et poissons plus ou moins influencés par la cuisine française. Ris de veau laqués, caille grillée, cerf de Boileau façon tataki... On peut également y luncher, une façon plus abordable de goûter à cette fine cuisine.

Le Jun-I compte maintenant un petit frère, le restaurant spécialisé en ramen Saka-Ba !, avenue du Mont-Royal.

- Pour amateurs de sushis sérieux.
- Restaurant de grande classe pour repas d'affaires ou tête-à-tête en amoureux.
- Pour boire du bon saké.
- Pour voyager un peu au Japon.

$$$

Ouvert le midi, du mardi au vendredi
Ouvert le soir, du lundi au samedi
Fermé le dimanche

156, avenue Laurier Ouest, Montréal
514 276-5864
www.juni.ca

Tapas,24

Le premier restaurant du chef catalan Carles Abellan à l'extérieur de l'Espagne est à Montréal. Et il a été ouvert en équipe avec les gens derrière toute une panoplie de tables du Vieux-Montréal – Helena, Les 400 Coups, Venti, etc. – ainsi qu'avec l'animateur Sébastien Benoit. Ici, on sert les tapas catalanes le mieux que l'on peut dans un contexte montréalais – il manque certains ingrédients cruciaux, évidemment –, avec une carte des vins sélectionnée par François Chartier. Mon plat préféré ? Le fondant au chocolat avec huile d'olive et fleur de sel, aussi bon qu'au Tapas,24 original, à Barcelone. Par contre, pas de miniseiches dans leur encre. Une petite *patata brava* avec ça ? Presque comme de la poutine espagnole.

Le chef Carles Abellan est venu passer trois semaines à Montréal pour y ouvrir son restaurant et entend revenir régulièrement.

- Pour un repas sympathique entre amis.
- Lieu vivant, animé, plus propice aux soirées entre copains qu'aux tête-à-tête ou aux rencontres d'affaires.
- De la cuisine espagnole tout à fait accessible, savoureuse.
- Si vous commandez du bon vin, demandez de bons verres.

$$

Ouvert le midi, du mardi au samedi
Ouvert le soir, du lundi au samedi
Fermé le dimanche

420, rue Notre-Dame Ouest, Montréal
514 849-4424
www.tapas24.ca

Mesón

Le restaurant Mesón, rue Villeray, est à deux pas du Tapeo, dont il est en quelque sorte le petit frère. Là aussi, comme chez Tapeo, la chef Marie-Fleur St-Pierre est aux commandes des fourneaux. Et là aussi, on sert une cuisine d'inspiration espagnole. Salade de tomates, avec fromage Manchego, croûtons et dattes, coca — une sorte de pizza catalane — à la tomate et au chèvre, boudin en pogo, calmars frits façon *patata brava*, ailes de poulet au fromage São Jorge... Toutes sortes de rencontres entre les traditions ibériques et la cuisine réconfort nord-américaine, qui se déclinent avec le sourire.

J'aime bien l'aménagement un peu postindustriel du restaurant, mais je suis vraiment en désaccord avec le choix de tableaux sur les murs. Parfois, comme dirait une amie artiste, je préfère qu'il n'y ait rien du tout que de l'art plate.

• Pour un repas en famille.

• Pour une soirée avec des amis.

• Pour un repas sympathique dans Villeray.

• Pour être dans un certain esprit espagnol.

$$

Ouvert le soir, du mardi au samedi
Brunch le samedi et le dimanche
Fermé le lundi

345, rue Villeray, Montréal
514 439-9089
www.restomeson.com

La Réserve du comptoir

Si vous aimez déjà le Comptoir charcuteries et vins, le troquet à bons crus et à bonnes cochonnailles de Ségué Lepage, vous allez adorer cette petite boîte à bons sandwichs et à bons saucissons, où l'on s'arrête pour prendre une bouchée ou faire quelques courses. Si vous ne connaissez pas, alors vous découvrirez un univers de nourriture simple de grande qualité. Saumon mariné et céleri rémoulade, épaule de porc effiloché à la sauce maison piquante… La carte est courte, mais tous les sandwichs sont savoureux. Une excellente adresse dans un quartier sympathique.

À l'arrière-boutique, on aperçoit tout le lieu de travail des bouchers qui préparent les charcuteries que le chef Ségué Lepage et son équipe vendent maintenant un peu partout à Montréal.

• Pour un sandwich à emporter.

• Il y a un comptoir et quelques tabourets pour manger sur place.

• Le choix de boissons est original : des sodas Fentimans de toutes sortes et des limonades maison.

• Le parc La Fontaine n'est pas loin si on a envie de faire un pique-nique.

$

Ouvert en journée, tous les jours
Ferme tôt en soirée

2000, rue Amherst, Montréal
514 521-8467
www.lareserveducomptoir.ca

Hambar

Si vous avez vraiment envie d'un grand plateau de charcuteries et d'un bon verre de vin, allez au Hambar, dans l'hôtel Saint-Paul du Vieux-Montréal. Mortadelle maison, jambon ibérique, jambon cru italien, rillettes, foie gras au torchon... La variété de produits sur le plateau de charcuteries de ce restaurant – comme la qualité de tous les ingrédients – est impressionnante. Ici, on vient rencontrer des amis, faire voir du monde à des clients en visite, manger une bouchée. En été, on s'installe sur la terrasse, de l'autre côté de la rue, sur la place D'Youville. Et puis la liste de vins au verre est longue et remplie de belles trouvailles et de classiques.

Le Hambar sera toujours dans mes souvenirs. C'est ici que j'ai interviewé pour la dernière fois l'homme d'affaires et grand Montréalais Marcel Côté, décédé en 2014, qui aimait ce restaurant vivant, très joyeusement urbain et servant une cuisine de qualité.

- On y va pour l'apéro avec des amis et on étire ça pour le souper.
- Pour un 5 à 7 classique ou un verre de vin en fin de soirée.
- Pour un souper de filles ou de gars.
- Nombre élevé de décibels.

$$

Ouvert le soir, du mardi au samedi
Brunch le samedi et le dimanche
Fermé le lundi

355, rue McGill, Montréal
514 879-1234
www.hambar.ca

123

Grumman 78

Si la cuisine de rue fait maintenant partie du paysage montréalais, on le doit beaucoup au travail de pionnier de ce restaurant qui a pignon sur rue dans Saint-Henri, rue De Courcelle, dans un ancien garage, mais pour qui tout a commencé comme camion spécialisé en tacos modernes et revisités. Au quartier général de l'équipe, rénové de façon *shabby* chic, on sert les classiques néotex-mex reinventés. Quesadilla aux escargots, tartare de maïs, tacos banh-mi ou feta-pimenton... Super sympa. Et bon. Et la carte des vins est intéressante.

Pour savoir où est rendu le camion, on va sur le site web www.grumman78.com.

- Pour un repas du soir d'été en famille. On emmène même le chien et on mange dehors.
- On peut faire venir le camion sur les lieux d'une fête privée.
- Pour un party de bureau ou une grande réunion festive, on loue tout le resto.
- Pour un repas sur le pouce, quelque part dans les rues de Montréal.

$ ou $$

Ouvert le soir, du mercredi au lundi
Fermé le mardi

630, rue De Courcelle, Montréal
514 290-5125
www.grumman78.com

Icehouse

Le style de ce petit troquet est Texan, et on a vraiment l'impression de manger au bord de la route, quelque part entre Houston et Austin. Dans ce restaurant, tout est servi sans couverts ni assiette, dans des paniers protégés par du papier à carreaux rouge et blanc, comme dans les cantines américaines... Peu importe. Le lieu se remplit en un clin d'œil pour le 5 à 7 et pour les belles soirées l'été sur la terrasse. Au menu, des tacos revisités à la façon du chef Nick Hodge, du pop-corn de crevettes, des burritos de homard, des sandwichs po-boy à la louisianaise aux huîtres frites... Savoureux et hyper convivial. On aime la limonade au bourbon et la bière Creemore.

Ce qui est vraiment chouette au Icehouse, c'est le sentiment très estival de la terrasse dès qu'arrivent les beaux jours. Même la friture y sent les vacances.

• Pour un 5 à 7 de gars.

• On y retrouve des amis.

• Pour un repas de papas avec enfants assez vieux pour apprécier les tacos.

• Il faut parfois attendre un moment pour avoir une place.

• Terrasse en été.

$$

Ouvert le soir, tous les jours

51, rue Roy Est, Montréal
514 439-6691

Gus

Situé aux abords de la Petite-Italie, petit, bondé, bruyant, fort sympathique, le dernier restaurant du chef propriétaire de David Ferguson, qui avait jadis le Jolifou, propose une cuisine inspirée par celle du sud-ouest des États-Unis, mais en version montréalaise : nachos au foie gras, gaspacho au concombre et aux tomatilles, thon grillé à la salsa… Même s'il faut parfois ajouter un peu de piment ici ou de sel là, on apprécie les produits frais, les combinaisons inusitées, l'atmosphère conviviale. Un restaurant de quartier où il ne faut pas oublier de réserver.

Tout ce quartier situé entre le Mile-End et la Petite-Italie, au nord de la voie ferrée et aux abords du boulevard Saint-Laurent, n'est plus du tout un *no man's land* et est maintenant rempli d'adresses sympathiques.

- Pour un repas avec les copains dans un quartier intéressant.

- Pour manger seul au bar.

- Pas idéal pour y emmener des enfants. Trop tassé, trop bruyant.

$$

Ouvert le soir, du lundi au samedi
Fermé le dimanche

38, rue Beaubien Est, Montréal
514 722-2175
www.restaurantgus.com

Dinette Triple Crown

Au menu de la Dinette Triple Crown : poulet frit, porc effiloché, salades... De la cuisine inspirée de celle du sud des États-Unis, incluant pain de maïs et sauces épicées. À ne pas manquer : les boissons gazeuses maison, dont une excellente bière de gingembre très parfumée. On va à la Dinette Triple Crown pour manger sur place, sur un tabouret, ou alors pour attraper un de leurs délicieux paniers remplis de victuailles et aller faire un pique-nique sur une des tables du parc de la Petite-Italie, situé entre Clark et Saint-Laurent, au sud de Saint-Zotique. On fournit même de la vraie vaisselle, une vraie nappe, de vrais couverts... Ce restaurant est ouvert tous les jours, sauf le mercredi.

Pour un lunch rapide, on mange au comptoir. Pour un lunch paresseux, on se le fait livrer à la maison !

• Pour faire un pique-nique.

• Pour apporter, ou se faire livrer, un repas à la maison.

• Pour un repas rapide sans façon, seul ou à deux, pas en grand groupe, si on veut manger au comptoir.

• Si on est plus que trois ou quatre, on va manger au parc sur une des grandes tables, quand il fait beau.

$

Ouvert le midi et le soir, du jeudi au mardi
Fermé le mercredi

6704, rue Clark, Montréal
514 272-2617

Maïs

Je ne peux pas dire que j'ai été ravie par l'accueil lors de ma dernière visite chez Maïs, mais force est de constater que la nourriture y est si bonne et le décor si sympathique qu'on oublie tout ça. On y offre une cuisine mexicaine moderne sur une carte courte qui privilégie les tacos et encore les tacos, qui peuvent très bien être garnis de flanc de porc fondant sur une crème fraîche maison et cresson ou de fleurs de courgette et de pommade de haricots...

Beaucoup de produits bio, toujours des plats végétariens, voire végétaliens.

- Pour une table adorable et abordable.

- Pour les cocktails à la mexicaine, éclatés.

- On y va en groupe, mais on ne peut pas réserver. Avis aux amateurs de téquila et de mescal : ici, on prend ça au sérieux. Tout comme le *ginger ale* maison.

$

Ouvert le soir, du lundi au samedi
Fermé le dimanche

5439, boulevard Saint-Laurent, Montréal
514 507-7740
www.restaurantmais.com

Mangiafoco

On va chez Mangiafoco pour deux chouchous italiens : la pizza cuite au four à bois, qui réussit à se rapprocher joliment de celle qui se fait en Campanie, et la mozzarella. Car Mangiafoco est un bar à mozzarella, comme ceux qu'on trouve en Italie. Il y a la traditionnelle, la *fior di latte*, la mozzarella *di Bufala*, la *burrata*… On choisit celle qu'on préfère. On choisit la garniture pour l'accompagner. On y va le midi ou le soir. Délicieux. Le tout dans un décor signé Bruno Braën, celui qui a aussi fait, notamment, le Pullman et le Saint-Gabriel.

Un des propriétaires des lieux est le bassiste du groupe Simple Plan, Jeff Stinco, qui est aussi derrière le Shinji, un resto japonais de Griffintown, et le nouveau Laurea, avenue Laurier, qui a remplacé l'ancien Laurier Barbecue.

• Pour de la bonne pizza.

• Pour un lunch à l'italienne pas compliqué.

• Pour sortir en gang le soir.

• Si on est un fan de Simple Plan !

$ ou $$

Ouvert le midi, du lundi au vendredi
Ouvert le soir, tous les jours

105, rue Saint Paul Ouest, Montréal
514 419-8380
www.mangiafoco.ca

Scarpetta

Ce restaurant italien ouvert par le propriétaire de l'excellent Piada au Marché de l'Ouest, qui est aussi le frère de la propriétaire d'Hostaria – décidément, on sert bien la cuisine italienne dans la famille ! –, est l'un des secrets bien gardés de Montréal. On y mange une cuisine italienne simple, bien faite, accessible, toujours délicieuse. Arancini (croquettes de riz farcies), polpette (boulettes de viande), mozzarella, pâtes savoureuses, salades. Les plats sont souvent petits, comme des tapas à l'italienne. On en prend plusieurs. On partage. Convivial à souhait.

Très belle cave qui met en vedette les vins de toutes les régions de l'Italie.

- Pour un petit souper du mardi soir sans chichi.
- Avec des ados qui aiment la cuisine italienne.
- Pour un repas entre amis.
- On peut y aller en groupe aisément.

$$

Ouvert le soir, du mercredi au samedi
Fermé le dimanche, le lundi et le mardi

4525 avenue du Parc, Montréal
514 903-4447
www.scarpetta.squarespace.com

BarBounya

C'est Fisun Ercan, la chef d'origine turque du restaurant Su, à Verdun, qui est aux fourneaux du BarBounya, avenue Laurier, ce restaurant qui nous emmène en Turquie, mais en version moderne, revisitée. On mange de la muhammara remplie du parfum du poivron rouge, du tartare d'agneau croquant de semoule, mais aussi des côtes de porc, des chanterelles sautées ; toutes sortes de plats qui conjuguent l'esprit turc et les produits d'ici. Jolie carte des vins qui se promène du côté de la mer Égée. Service ultra-sympathique et efficace.

La Turquie est une destination vedette en ce moment, et on y mange drôlement bien.

- Pour un souper de filles.

- Pour nostalgiques de la Turquie.

- Pour un repas rempli de saveurs qui nous font voyager par un petit mardi soir tristounet de novembre, par exemple.

- Parfait pour se faire des amis aux tables communes...

$$

Ouvert le midi, le jeudi et le vendredi
Ouvert le soir, du mardi au samedi
Brunch le samedi et le dimanche
Fermé le lundi

234, avenue Laurier Ouest, Montréal
514 439-8858
www.barbounya.com

Taverne F

Morue, sardines en escabèche, *churrasco*, *natas*… Ici, les plats sont portugais et s'assument pleinement. On veut que vous ayez l'impression d'être quelque part entre Porto et l'Algarve, l'Alentejo et Lisbonne. La cuisine est simple, mais savoureuse. La carte des vins est remplie de trouvailles à prix abordables. Le décor a été rendu plus chaleureux, la terrasse est toujours là. On y va même pour le brunch du dimanche.

Une des trois adresses du restaurateur Carlos Ferreira, connu pour son navire amiral, le Ferreira Café.

- Pour un lunch d'affaires plus abordable qu'au Ferreira, et on est encore en plein centre-ville.

- Pour la terrasse l'été.

- Pour un tête-à-tête le soir.

$$

Ouvert le midi et le soir, tous les jours
Brunch le samedi et le dimanche

1485, rue Jeanne-Mance, Montréal
514 289-4558
www.tavernef.com

Mezcla

La cuisine péruvienne est en pleine explosion. Anticuchos et ceviches sont des secrets de moins en moins bien gardés et de plus en plus populaires. En outre, les chefs péruviens se font remarquer sur la scène internationale. Cette cuisine s'impose dans les grandes villes, de Londres à Barcelone... À Montréal, quelques restaurants ont décidé de s'éclater aussi, dont Mezcla, situé un peu au sud du Village. Quinoa, poisson cru, piment et encore piment sont au rendez-vous. C'est savoureux. Exotique. Et le lieu est agréable. On suggère souvent aux clients de prendre le menu dégustation, mais j'ai préféré choisir à la carte. À ne pas manquer : le *leche de tigre*, à déguster avec du maïs rôti.

Tiradito, *leche de tigre*, *chicharones*... **Dans quelques années, vous saurez tous que ces plats sont respectivement du poisson cru mariné, la marinade tellement délicieuse des ceviches qu'on la déguste à part et de la couenne de porc frite...**

- Pour se rappeler un voyage en Amérique latine.

- Pour un tête-à-tête exotique.

- On peut y aller avec des enfants, qui aimeront notamment le poulet grillé.

- Carte des vins qui privilégie les vins espagnols et sud-américains.

$$

Ouvert le midi, du mardi au vendredi
Ouvert le soir, du mardi au samedi
Fermé le dimanche et le lundi

1251, rue de Champlain, Montréal
514 525-9934
www.restaurantmezcla.com

Damas

La Syrie est toujours en guerre, à feu et à sang. Mais faut-il pour autant oublier que c'est un pays d'une riche culture culinaire, où les saveurs sont remplies de soleil, de chaleur ? Chez Damas, on pose un regard moderne et soigné sur les incontournables : fatouche, kibbes d'agneau, muhammara, kébabs… Théoriquement, on choisit d'abord des *mezze* – petites entrées –, puis un plat principal, mais, en réalité, on peut ressortir du restaurant totalement heureux en ne mangeant que salades, houmous, petits plats de viande et pain pita. La carte des vins est intéressante. Et il y a assez de menthe, de citron, d'huile d'olive et de fleur d'oranger dans cette cuisine pour nous donner vraiment l'impression de partir au Moyen-Orient.

C'est ici, je trouve, qu'on déguste la meilleure glace à la pistache – artisanale – en ville.

• On y va en groupe. Il y a de la place. Mais on réserve quand même.

• Pour partager un repas savoureux en tête-à-tête.

• Pour un voyage culinaire rempli de découvertes.

• Ouvert pour le lunch durant le week-end.

$$

Ouvert le midi, le samedi et le dimanche
Ouvert le soir, tous les jours

5210, avenue du Parc, Montréal
514 439-5435
www.restaurant-damas.com

Thaïlande

Année après année, je vais chez Thaïlande et je commande les mêmes plats savoureux, fiables, ensoleillés. La salade de mangue verte, le poisson cuit dans le lait de coco et dans une feuille de bananier, le curry jaune au poulet ou aux crevettes… J'adore tomber sur les grosses feuilles de basilic. L'automne, on choisit les soupes pimentées. L'été, on se réfugie dans les salades allumées. Si on réserve suffisamment à l'avance, on demande à manger dans la section où tout le monde est assis par terre, sur des coussins. Exotique !

La cuisine thaïe est tout en haut de ma liste de cuisines préférées du monde entier. Tellement savoureuse. Tellement fraîche. Tellement digeste.

- Pour préparer ou se rappeler un voyage en Thaïlande.

- Pour un tête-à-tête savoureux un soir de semaine.

- Pour un repas sympa entre amis où tout le monde s'assoit par terre sur des coussins.

- On y va en famille. Tout n'est pas super piquant.

$$

Ouvert le midi, du mercredi au vendredi
Ouvert le soir, tous les jours

88, rue Bernard Ouest, Montréal
514 271-6733
www.restaurantthailande.com

Chez Chili

« Mon meilleur repas chinois de la dernière année », s'est prononcée l'amie avec qui j'étais venue découvrir cette petite adresse du quartier chinois traditionnel, après avoir copieusement savouré nos plats. Et je suis d'accord avec elle. Nous avons mangé un excellent repas Chez Chili. Aubergines chinoises – longues et minces – et poivrons façon Dongbei, enrobés d'une sauce soyeuse, salée, légèrement rehaussée d'un peu de porc haché. Poulet épicé frit et croquant, agneau à la sichuanaise, avec oignon et cumin. Haricots sautés façon Hunan. On est loin des terrains connus de l'omniprésente cuisine cantonaise. À essayer.

Le lieu a ouvert il y a deux ans et n'éblouit ni par son décor magique ni par son atmosphère urbaine moderne. L'accueil est toutefois fort sympathique. On y parle bien français. Et on y reçoit les nouveaux convives avec générosité et un désir presque trop grand de rendre l'expérience accessible à tous.

• Pour un bon repas chinois inusité.

• On choisit la bière plus que le thé, qui est banal.

• L'entrée n'est pas indiquée super clairement.

• Accueil vraiment sympathique.

$

Ouvert le midi et le soir, tous les jours

1050B rue Clark, Montréal
514 904-1767

Brooklyn

On dirait un peu une galerie d'art ou encore une boutique de meubles rétro. Mais le Brooklyn est aussi un café, où l'on sert de délicieux petits-déjeuners – la semaine ! La spécialité : du gruau éclaté. Du gruau à la compote de poires à l'anis, du gruau à la noix de coco, au Nutella et aux canneberges… On aime le café, les plats légers du midi, d'inspiration Sud-Est asiatique ou moyen-orientale, tout comme les meubles très années 60, très scandinaves ou américains, bref, très *Mad Men*, vendus au fond de la boutique. Si vous cherchiez des chaises pliantes en lanières plastifiées et colorées des années 70, ils en ont. Chouette !

La terrasse à l'arrière est particulièrement calme et sympathique, avec ses grandes tables de réfectoire.

- Pour un lunch.
- Pour un petit-déjeuner.
- Pour trouver des objets et des meubles des années 60 et 70.
- Pour les amateurs de gruau.

Ouvert en journée, du lundi au vendredi
Fermé le samedi et le dimanche

71, rue Saint-Viateur Est, Montréal
514 564-6910
brooklyn-mtl.com

Régine Café

Il n'y a pas énormément de restaurants indépendants vraiment intéressants spécialisés dans les petits-déjeuners. Les chaînes, souvent implantées en banlieue, sont nombreuses et populaires. Mais de petites adresses urbaines innovantes ? Une espèce rare dont le Régine Café fait partie. Qu'on s'assoie au bar pour déguster tranquillement un café et une viennoiserie faite sur place ou qu'on s'installe à une table, en groupe, pour manger des plats remplis de créativité conviviale – gaufres au maïs et au gravlax, jambon cuit sur l'os, œuf à l'écossaise –, on en ressort repu et souriant. Et l'accueil est franchement sympathique.

La maison offre d'organiser des événements privés, où on loue le café au complet pour prendre en gang le thé à l'anglaise avec sandwichs, pâtisserie, mignardises, etc. *Jolly !*

- Pour un petit-déjeuner copieux, sympathique, frais.

- Pour un lunch ou un brunch avec les copines.

- Une bonne adresse dans un quartier en transformation, mais qui en compte encore trop peu.

$ ou $$

Ouvert le matin et le midi, tous les jours
Brunch tous les jours

1840, rue Beaubien Est, Montréal
514 903-0676
www.reginecafe.ca

Bagel St-Lo

Dans un secteur de Verdun qui commence à se transformer, Bagel St-Lo est un petit café sympathique, ouvert par des jeunes, qui offrent toutes sortes de sandwichs préparés avec des bagels cuits sur place. Sandwichs aux œufs, au saumon fumé, végétariens… On y va pour le lunch ou le petit-déjeuner, on prend un bon café, une soupe… L'accès gratuit à Internet attire les jeunes adultes qui viennent s'y installer avec leur ordi et créent une ambiance de resto de quartier agréable.

Vues lors de notre passage : deux femmes enceintes de leur premier bébé, qui expliquaient pourquoi elles venaient toutes les deux d'acheter dans le quartier. Ça dit tout.

- Pour un petit-déjeuner pas compliqué.
- Pour un lunch léger.
- Pour aller traîner l'après-midi avec l'ordi, voir du monde, prendre un café et un bagel tartiné.
- Dans un coin de Verdun où il y a peu d'autres lieux conviviaux de ce type.

$

Ouvert en journée, du mardi au dimanche
Fermé le lundi

5411, rue Verdun, Montréal (Verdun)
514 507-8430

La Fabrique

Il y a beaucoup de bonnes raisons d'aimer La Fabrique, rue Saint-Denis, et leur brunch en est une de taille. Et maintenant, ils les servent aussi le samedi, en plus du dimanche. Pancakes, purée de pommes, cheddar, œuf mollet et sirop d'érable, pain brioché, boulettes de porc poêlé, œuf au plat, légumes racines, tartare de légumes à l'avocat, saumon mariné, arancini… Vous comprenez qu'on sort ici des sentiers battus des œufs bénédictine et crêpes au sirop. Ici, les plats sont créatifs, travaillés. Et ce ne sont pas de vaines acrobaties jolies seulement sur papier, c'est réellement délicieux. Idéal après une longue course du dimanche matin au parc La Fontaine, pas loin.

Plusieurs plats, comme les grosses carafes de potage, peuvent aisément être partagés.

- Restaurant qui plaît facilement à toutes sortes de convives.
- On y va pour un tête-à-tête informel ou avec un groupe d'amis.
- Il y a maintenant une annexe de La Fabrique, deux portes au nord, pour l'apéritif ou les cocktails.

$$

Ouvert le soir, du mardi au dimanche
Brunch le samedi et le dimanche
Fermé le lundi

3609, rue Saint-Denis, Montréal
514 544-5038
www.bistrotlafabrique.com

Arhoma

On connaît maintenant bien les produits d'Arhoma – « homa » comme dans Hochelaga-Maisonneuve – parce qu'ils sont vendus un peu partout dans la ville. Mais tout a commencé ici, place Simon-Valois, dans ce petit havre de qualité, d'originalité et de gentillesse, en plein cœur de ce quartier de l'est de la métropole. L'endroit est plein de gens du coin, qui se retrouvent autour de leur amour pour du pain frais, préparé à partir de farine bio. Il y a aussi le café qui est bon et équitable. Quelques tables permettent de manger sandwichs, croissants, etc. L'été, on s'installe sur la jolie terrasse.

Le quartier Hochelaga-Maisonneuve, Ho-Ma est décrit depuis longtemps par les agents d'immeubles comme le prochain Plateau. La transformation ne s'est pas encore totalement faite, mais il est vrai qu'il y a de plus en plus d'adresses commerciales sympas comme celle-ci.

- Pour un lunch rapide ou un petit-déjeuner.

- Pour un bon repas simple, dans un quartier en transformation où l'on aime tomber sur des adresses gourmandes de qualité.

- On trouve les produits Arhoma dans plusieurs autres commerces de la ville.

$

Ouvert en journée, tous les jours
Ouvert le soir, le jeudi et le vendredi

15, place Simon-Valois, Montréal
514 526-4662

1700, rue Ontario Est, Montréal
514 598-1700

www.arhoma.ca

Cantinho de Lisboa

Cette « cantine de Lisbonne » est pilotée par Helena Loureiro, la chef derrière Helena et Portus Calle. Cette fois, on se concentre sur la nourriture qui se mange sur le pouce : salades, sandwichs, fromages, soupes… Mais on trouve les saveurs traditionnelles du Portugal, que la chef cuisine depuis toujours : légumes frais, fruits de mer, jambon, saucisses épicées. La cantine propose aussi des desserts typiques, en commençant par les classiques *pastéis de nata*. Ainsi que des boissons gazeuses portugaises. Une petite sardine avec ça ?

Cette cantine est située juste de l'autre côté de la rue de l'excellent Olive et Gourmando, donc on s'y réfugie si la queue chez Olive est vraiment trop longue et qu'on n'a pas envie d'attendre.

- Pour un lunch rapide, il y a des tables sur place.

- Pour un lunch à emporter.

- Pour acheter quelques produits ou objets de cuisine typiquement portugais, qui peuvent faire de bons cadeaux passe-partout pour des *foodies*.

- Ce n'est pas bon marché, mais la nourriture est de qualité.

$

Ouvert en journée, du lundi au samedi
Fermé le dimanche

356, rue Saint-Paul Ouest, Montréal
514 843-3003
www.cantinhodelisboa.com

Satay Brothers

Chez Alex et Mat Winnicki, dont la mère est singapourienne et cuisi-nière, il y a toujours une très longue queue le week-end pour manger les satés du jour, ces brochettes de poulet, de porc, de crevettes, hyper tendres, hyper juteuses, servies avec une sauce aux arachides parfumée, ou alors une assiette de salade de papaye verte bien relevée, ou peut-être un *mee goreng*, un plat de nouilles frites servies avec des carottes, des œufs, du chou, des tomates, des crevettes et des piments (évidemment). Ou est-ce parce que tous ces gourmands veulent absolument le sandwich au porc grillé servi dans un *bun*, avec sauce hoisin ? On aime manger tout ça en plein air l'été au marché Atwater. Les Satay Brothers ont aussi un service de traiteur pour fêtes ou réunions avec menu original.

Chez les Satay Brothers, on mange singapourien, c'est-à-dire une cuisine qui tire son inspiration autant de la Malaisie que de la Thaïlande, de l'Indonésie, de la Chine et de l'Inde...

• Pour manger en plein air l'été, mais à l'abri de la pluie.

• Pour un lunch au marché avant de faire les courses.

$

Ouvert en journée, selon l'horaire du marché
Fermé le mardi et le mercredi

Marché Atwater
138, avenue Atwater, Montréal
514 587-8106
www.sataybrothers.com

SoupeSoup

Il y a maintenant un SoupeSoup chez Ex-Centris, ce qui change des comptoirs plus déprimants des cinémas commerciaux, mais ma succursale préférée de cette chaîne sympathique lancée par Caroline Dumas est celle qui est le plus près de mon bureau, dans le Vieux-Montréal, rue Wellington. J'aime le très grand espace, les plafonds hauts, les immenses fenêtres, les chaises des années 60 recyclées. J'adore les soupes costaudes en hiver, les salades savoureuses en été.

Il y a maintenant six succursales de SoupeSoup à Montréal.

• Pour un lunch rapide de qualité.

• Parfait pour les végétariens qui aiment les potages aux légumes et aux légumineuses.

• On y envoie les touristes : il y a le wifi !

$

Les heures d'ouverture varient selon les succursales.

649, rue Wellington, Montréal
514 759-1159

80, rue Duluth Est, Montréal
514 380-0880

2183, rue Crescent, Montréal
514 903-8628

7020, rue Casgrain, Montréal
514 903-2113

1228, rue Saint-Denis, Montréal
514 544-5004

3536, boulevard Saint-Laurent, Montréal
1 855 331-3303

www.soupesoup.com

TA

Saviez-vous que la tourtière, le pâté à la viande, fait partie des spécialités australiennes ? Je ne me rappelle pas en avoir mangé là-bas, mais, ici, j'adore les petites tourtières de pâte feuilletée, remplies de toutes sortes de mélanges cosmopolites — chili con carne, *rogan josh* (curry d'agneau), poulet au beurre, tomates et ricotta, bifteck et rognons à l'anglaise — de chez TA. Et saviez-vous qu'il y en a même au maquereau fumé ? On est loin de nos tourtières, puisque le contenu est pas mal moins sec, et la pâte, beaucoup plus légère. Donc pas nécessaire d'ajouter une montagne de ketchup. On emporte le tout facilement en pique-nique ou pour manger au bureau.

Il y a maintenant une succursale de TA — qui veut dire « Thanks », donc merci en argot australien — avenue de Monkland.

- Pour un lunch abordable, nourrissant, dans un endroit joliment rétro.

- Pour se plonger dans les cultures australienne et néo-zélandaise.

- Pour fuir les lieux communs et se rappeler, peut-être, un voyage *down under*...

$

Ouvert le matin, le midi et le soir, tous les jours

4520, avenue du Parc, Montréal

5525, avenue de Monkland, Montréal

514 277-7437
www.ta-pies.com

145

Vasco da Gama

Pour un bon sandwich ou une bonne salade si je suis en plein centre-ville, j'opte pour le Vasco da Gama, le petit frère du Ferreira Café, qui propose la version sur le pouce de la cuisine portugaise de qualité, à peine réinventée, qui est au cœur de la marque Ferreira. Ici, on sert quelques plats cuisinés, de savoureux sandwichs comme celui à l'agneau effiloché ou le burger poulet et chorizo, des pâtisseries à la portugaise en commençant par le très typique *pastel de nata*. On peut manger sur place ou prendre une boîte à lunch et l'emporter dans un parc ou au bureau.

Le groupe Ferreira compte aussi une taverne, maintenant, à la place des Festivals.

 Un bon lunch au centre-ville, qu'on soit là pour le travail ou le shopping.

 Pour un repas à emporter au bureau.

 Pour un lunch rapide avec un collègue.

 On y va un peu après l'heure de pointe du midi pour être sûr d'avoir une table.

$

Ouvert le matin et le midi, tous les jours
Ouvert le soir, du lundi au vendredi
Ferme tôt en soirée, le samedi et le dimanche

1472, rue Peel, Montréal
514 286-2688
www.vascodagama.ca

Banh-mi Cao-Thang

Il n'y a pas de chaise ici, mais juste un comptoir où acheter un sandwich vietnamien qu'on ira manger au bureau s'il fait gris, au Vieux-Port ou au parc s'il fait beau. Ici, on se spécialise dans le *banh-mi*, ces sandwichs typiquement vietnamiens, faits de baguette – coutume héritée du temps des colonies françaises en Indochine – et de garnitures à la viande – poulet, porc – pimentée, grillée, relevée. On les sert avec du piment et de la coriandre, mais n'hésitez pas à en demander en extra, parce que c'est vraiment grâce à ça que ces sandwichs sont bons. On peut aussi acheter des rouleaux printaniers et d'autres spécialités vietnamiennes déjà préparées.

Ici, les sandwichs sont faits à la minute, sous nos yeux, pour des prix vraiment très raisonnables.

- Un bon sandwich, à tout petit prix.
- Pour les rouleaux impériaux ou autres spécialités vietnamiennes offertes au comptoir.
- Pour une petite pause exotique dans la journée.

$

Ouvert le matin et le midi, tous les jours
Ferme tôt en soirée

1082, boulevard Saint-Laurent, Montréal
514 392-0097
www.caothangsandwich.com

L'Échoppe des fromages

L'Échoppe des fromages est un des commerces cruciaux du centre du vieux Saint-Lambert. Ici, on aime le fromage, tous les fromages, et la section casse-croûte, à l'arrière de la boutique, est là pour nous les faire goûter. Salades, sandwichs, plateaux… Que vous soyez amateurs de pâtes fermes, de fromages de brebis ou au lait cru, de fromages québécois ou européens, vous serez comblés. Et les gens qui le vendent savent de quoi ils parlent. Il y a aussi quelques étagères où l'on propose des produits fins, notamment des huiles, des champignons sauvages, etc.

Avec ce genre de commerce où l'on vous connaît par votre nom – pas le mien, mais ceux de mes amis qui habitent là et fréquentent cet établissement régulièrement –, le cœur du vieux Saint-Lambert prend vraiment des airs presque campagnards, dans le meilleur sens du terme, hyper sympathique.

- Pour un lunch rapide de qualité à Saint-Lambert.
- Pour les amoureux du fromage, qui ont envie de parler fromage.
- Petite épicerie fine à l'avant de la boutique. Les trouvailles y sont nombreuses.

$

Ouvert le matin et le midi, tous les jours
Ouvert le soir, le jeudi et le vendredi

12, rue Aberdeen, Saint-Lambert
450 672-9701
www.lechoppedesfromages.com

Aqua Mare

Ce petit comptoir de friture installé à l'arrière d'une poissonnerie au marché Jean-Talon est un incontournable lorsqu'on fait ses courses à cet endroit. Ici, on attrape quelques crevettes ou éperlans, bien chauds, accompagnés d'une sauce tartare ou d'une mayonnaise épicée. Difficile aussi de ne pas craquer pour le *fish and chips* ou les calmars tout juste sortis de la friteuse. Tout le monde adore. Il y a des tables tout autour pour s'asseoir et manger.

Idéal pour les crises de nostalgie de bord de mer en plein été ou au printemps.

- Pour de la friture de qualité.
- Pour un repas sur le pouce qui sort de l'ordinaire.
- Pour les amateurs de fruits de mer façon *fish and chips*.
- Pour un arrêt repas rapide et délicieux quand on fait ses courses au marché Jean-Talon.

$

Ouvert en journée, selon l'horaire du marché

Marché Jean-Talon
7070, avenue Henri-Julien, Montréal
514 277-7575
www.aquamare.ca

Maison Christian Faure

À l'hiver 2014, un de mes amis *foodies* français est venu au Québec et est tombé raide amoureux des croissants de chez Christian Faure, le MOF – meilleur ouvrier de France – en pâtisserie, qui s'est installé dans le Vieux-Montréal, avec salon de thé, pâtisserie et école. En fait, moi, j'aime tout dans ce commerce situé dans un magnifique immeuble ancestral. J'aime les viennoiseries, le paris-brest, la galette des Rois. Même les salades. Mais on y va surtout pour tout ce qui est sucré et, si vous vous mariez, c'est là qu'il faut aller chercher le croquembouche français traditionnel.

Éclair, paris-brest, tarte chocolat crémeux et fleur de sel, millefeuilles de tradition… Je ne sais plus quel est mon dessert préféré. De la pâtisserie française comme on en rêve quand on est enfant.

- Pour une pause sucrée en après-midi, dans un lieu charmant.
- Pour le croissant du matin, avec un café.
- Pour un dessert à emporter.

$ et $$

Ouvert en journée, tous les jours

355, place Royale, Montréal
514 508-5463
www.maisonchristianfaure.ca

Cacao 70

Imaginez un endroit où vous pouvez faire vos propres guimauves grillées à table, avec de la sauce au chocolat en surabondance. Et où l'on vous sert de la pizza au chocolat et aux noisettes sucrées et grillées, avec fraises et bananes pour décorer le tout, oh, et extra chocolat blanc fondu. Imaginez qu'on vous serve ensuite une tasse de chocolat chaud en deux parties, avec du chocolat choisi. Péruvien ? Vénézuélien ? Dominicain ? Vous choisissez l'origine que vous préférez, le pourcentage de cacao... La maison travaille avec le chocolat Barry Callebaut, comme beaucoup de grands pâtissiers. L'emballage de tout cela – design, aménagement intérieur, service – n'est pas aussi élégant que dans bien d'autres chocolateries de pointe, mais on compense en générosité dans l'assiette. Ados et enfants adorent particulièrement.

Cacao 70, est une sorte de lieu de culte du chocolat. Gaufres toutes garnies, sundaes, bonbons à la ganache… Tous les vœux chocolatés y sont exaucés.

• Pour une soirée sucrée sympathique, avec les enfants et les grands-parents.

• Pour une pause sucrée en après-midi.

• On sert aussi lunchs et plats salés légers.

• Les ados adorent s'y retrouver.

• Il y a deux succursales à Montréal, rue Sainte-Catherine Est et Ouest.

$

Ouvert le midi et le soir, tous les jours

2087, rue Sainte-Catherine Ouest, Montréal
514 933-1688

1310, rue Sainte-Catherine Est, Montréal
514 528-6161

www.cacao70.ca

Rustique

Jadis, il y avait à Montréal un restaurant spécialisé qui s'appelait Tarte Julie. On y trouvait de tout dans le monde de la tarte à la française. Tarte aux pommes, aux poires, quiches… Cet établissement est depuis longtemps disparu, mais, 20 ans plus tard, un autre a pris la relève. Il s'appelle Rustique. Il est rue Notre-Dame Ouest, à Saint-Henri, et on y prépare des tartes et encore des tartes. Sauf que, cette fois, l'inspiration est plus anglaise ou américaine que française. Tarte au banoffee – caramel et banane – ou barres Nanaïmo, ou tarte aux pommes confites… Les tartes et les carrés sucrés se déclinent avec de la noix de coco, du caramel, du chocolat, quelques cerises ou des pommes. Une jolie addition à la scène sucrée montréalaise. Miam !

On peut acheter des tartes à emporter, entières ou miniatures, ou encore manger un dessert sur place, puisqu'il y a quelques tables et chaises.

- Pour prendre un morceau de tarte et une tasse de thé en plein après-midi ou après le souper.

- Pour acheter un dessert à emporter.

- On y vend aussi toutes sortes de granolas.

- Tout est fait sur place, évidemment.

- La maison fait aussi des gâteaux et desserts de mariage.

$

Ouvert en journée, tous les jours

4615, rue Notre Dame Ouest, Montréal
514 439-5970
www.rustiquepiekitchen.com

Chez Vincenzo

Juste devant Tapeo, dans le quartier Villeray qui est en pleine effervescence, ce glacier propose des gelati artisanaux qui reprennent toutes les saveurs italiennes qu'on adore: noisette, nougat, stracciatella… Difficile de ne pas aimer. Surtout que tout est fait sur place par Vincenzo Vinci lui-même – le mari de l'animatrice Julie St-Pierre, et les deux attendaient un bébé au moment de mettre sous presse, pour ceux qui veulent tout savoir. Il est allé apprendre l'art de la glace en Italie, à l'école et chez un glacier de Calabre, d'où vient sa famille. On peut aussi y prendre un café. Et même un sandwich. Mais si les glaces sont faites maison, les croissants viennent de La Cornetteria, une autre de mes adresses préférées.

Si on veut faire comme en Italie, on demande de la crème fouettée sur sa glace. Ou alors on met une boule dans un café, pour faire un affogato. Et saviez-vous qu'en Sicile on mange le granité, glace légère, au petit-déjeuner ?

• Pour prendre une glace, avec ou sans enfant, après une jolie marche en début de soirée.

• Pour boire un café.

• Pour un lunch rapide.

• Pour une pause sucrée en après-midi.

• Pour surprendre une flamme éprise de tout ce qui est italien.

$

Ouvert le matin, le midi et le soir, du mardi au dimanche
Fermé le lundi

500, rue Villeray, Montréal
514 508-5031
www.chezvincenzo.com

La Cornetteria

J'aime La Cornetteria depuis longtemps, surtout à cause des cornetti, ces croissants à l'italienne qui nous donnent vraiment l'impression d'être en voyage au pays du barolo. On s'installe à une des mini-tables sur le trottoir et on commande un café et un cannoli en plein après-midi, ou alors on reste debout au comptoir pour un cappuccino et un cornetto au gianduja le matin. Peu importe. On se croirait au pays de *La Grande Bellezza. Bellissimo* !

Il n'y a pas que des desserts. On peut aussi manger un sandwich à La Cornetteria. Et c'est un des endroits à Montréal où l'on prépare une version du fameux cronut américain, croissant frit comme un beignet, appelé ici « cronetto ».

- Pour un petit-déjeuner à l'italienne.
- On peut commander et emporter toute une boîte de cornetti au bureau pour un petit-déjeuner de travail, ou alors à une fête matinale.
- Pour un goûter d'après-midi.

 $

Ouvert en journée, tous les jours

6528, boulevard Saint-Laurent, Montréal
514 277-8030
www.lacornetteria.com

Kem CoBa

Lait d'amandes, cacahuètes et miel, hibiscus… Les parfums sont vraiment originaux chez ce petit glacier du Mile-End, où les amateurs font la queue, soir après soir l'été. Tenu par un couple de pâtissiers – elle d'ici, Ngoc, diplômée de l'Institut de tourisme et d'hôtellerie ; lui, Vincent, venu de France –, ce lieu est franchement différent, trop charmant pour qu'on s'en lasse. Les parfums sont exotiques, surprenants, réussis. Tout est préparé avec des produits naturels. Les textures sont divines. Tant pis s'il faut attendre. C'est signe que c'est bon, qu'il y a du roulement, donc que la glace sera bien fraîche.

Crème glacée molle, sorbet, glace… On trouve trois textures et des tas de parfums éclatés comme griottes, chocolat-orange-bananes ou vanille-fruit-de-la-passion.

• Pour une bonne glace naturelle, servie par des gens sympathiques.

• Pour des parfums qui sortent réellement des sentiers battus.

$

Ouvert le midi et le soir, du mardi au dimanche
Fermé le lundi

60, avenue Fairmount Ouest, Montréal
514 419-1699
www.kemcoba.com

Pâtisserie Rhubarbe

Si cette pâtisserie était proche de chez moi, j'irais vraiment plus souvent, car je suis un jour tombée raide amoureuse d'un gâteau aux cacahuètes, chocolat et caramel, dont je ne me suis jamais totalement remise. On peut maintenant bruncher dans cette adorable pâtisserie du Plateau-Mont-Royal en commandant des plats de type « gaufre pistaches, mûres, bleuets, crème citron », accompagnés de bulles au sirop de framboise maison. Il n'y a pas grand-chose qui déçoit dans ce temple voué au sucre, au chocolat, aux parfums de fruits, aux épices variées.

On y va pour petit-déjeuner, pour acheter un gâteau, pour manger une glace, pour s'arrêter en plein milieu de la journée et prendre le temps de déguster. Miam !

- Pour un gâteau ou des pâtisseries individuelles à emporter.
- Pour le brunch.
- Pour une pause sucrée en après-midi.
- Pour acheter quelques biscuits et confitures.
- On y va avec les enfants, évidemment !

$ ou $$

Ouvert en journée, du mercredi au dimanche
Brunch le dimanche
Fermé le lundi et le mardi

5091, rue De Lanaudière, Montréal
514 903-3395
www.patisserierhubarbe.com

Mamie Clafoutis

Il y a une tonne de viennoiseries et de pains, et de pâtisseries, et de tartes, et de gâteaux à vendre maintenant chez Mamie Clafoutis, que ce soit rue Van Horne, rue Saint-Denis ou à L'Île-des-Sœurs. Mais je crois que ma gourmandise préférée demeure, d'abord et avant tout, les écoliers, ces petits pains remplis de morceaux de chocolat, reprenant en une seule viennoiserie le goûter classique offert aux enfants en France au retour de la classe. Sucré, moelleux, chocolaté… Miam ! Quand on entre, les lieux sentent d'ailleurs un peu la France, à cause de l'odeur de la farine et du beurre. À essayer quand on n'a pas trop faim, pour ne pas tout acheter.

On peut aussi attraper du salé, soit de quoi luncher, comme un sandwich, une petite quiche… On prend le tout pour emporter. Ou alors on mange dans le salon de thé.

- Pour acheter du pain.
- Pour un en-cas en après-midi.
- Pour acheter un dessert à emporter.
- Pour attraper un sandwich ou tout autre petit lunch rapide.

$

Ouvert en journée, tous les jours

1291, avenue Van Horne, Montréal
514 750-7245

3660, rue Saint-Denis, Montréal
438 380-5624

105, chemin de la Pointe-Nord, Île-des-Sœurs
514 508-8800

www.mamieclafoutis.com

Havre-aux-Glaces

Avec son immense terrasse aux abords du canal Lachine et sa vue sur la ville illuminée le soir, le Havre-aux-Glaces Atwater est l'une de mes adresses chouchous. Mais celui du marché Jean-Talon n'est pas mal non plus. Les glaces sont les mêmes. Caramel brûlé, nougat, citron... On s'y arrête en faisant les courses. On n'est jamais déçu. Parce que tout cela est préparé avec des produits frais, naturels. On peut aussi apporter la glace à la maison puisqu'elle est vendue en pot.

Vous aimez leur glace à l'érable ? Il y a quelques années, les propriétaires ont acheté une érablière pour préparer leur propre sirop et s'assurer de la qualité de tous les produits d'érables utilisés dans les glaces.

- Un des meilleurs glaciers de la métropole. Parfums originaux.

- Hyper romantique à deux, le soir, au marché Atwater pour se balader le long du canal avec vue sur la ville.

- Pour une pause pendant les courses au marché Jean-Talon ou au marché Atwater.

 $

Ouvert le jour et le soir, l'été
Ouvert le reste de l'année, selon l'horaire du marché

Marché Jean-Talon
7070, rue Henri-Julien, Montréal
514 278-8696

Marché Atwater
138, avenue Atwater, Montréal
514 278-8696

Café de' Mercanti

L'avenue de Monkland compte tout ce qu'il faut de succursales de grandes chaînes de café ou de boulangeries, style Starbucks, Première moisson, Second Cup, Pain doré, etc. Mais de petits indépendants réussissent quand même à tirer leur épingle du jeu, comme ce Mercanti installé à l'ouest du secteur commercial. On s'y croirait en Italie. Sfogliatelle et cornetti, café bien torréfié – je pense que j'ai bu trop de café sous-torréfié en 2014 –, glaces pour faire le vrai affogato... Il y a même un presse-agrumes un peu rétro pour préparer le jus d'orange, comme dans les bars napolitains. Un classique discret qui n'essaie pas d'être à la mode. On aime.

Le Mercanti est le café adjacent au Garde-manger italien, et ce petit groupe compte maintenant, juste en face, un bistro, l'Amerigo, où l'on sert des plats de pâtes et des antipasti pas compliqués.

- Pour un bon café, probablement le meilleur sur l'avenue de Monkland, pour ceux qui aiment l'arabica bien torréfié.

- Pour le sentiment d'être un peu en Italie.

- Pour un petit-déjeuner rapide de type cappuccino, orange pressée et cornetto.

$

Ouvert en journée, tous les jours

6128, avenue de Monkland, Montréal
514 969-1807
www.facebook.com/cafedemercanti

Saint-Henri
micro-torréfacteur

J'ai un gros faible pour le Saint-Henri. Il y a maintenant plusieurs cafés où l'on sait préparer cette boisson convenablement, avec de bons grains et une technique soignée, mais Jean-François Leduc, le fondateur de cette maison de torréfaction, a vraiment été l'un des premiers à apporter à Montréal une nouvelle culture du café, post-Starbucks. Parfois, le café n'est pas assez torréfié à mon goût, manie très *hipster*, très tendance. Mais sa maison continue de se démarquer, notamment parce que le café est toujours bien préparé, peu importe le barista. En plus, j'adore le décor très Brooklyn, très Berlin de cette maison de café, entre autres les bancs d'église sympathiques et le wifi super fiable.

Le café Saint-Henri a été l'un des premiers commerces contemporains, modernes, à venir lancer la transformation de ce quartier, à l'ouest d'Atwater, qui est maintenant en pleine ébullition.

- Pour un vrai bon café, toujours bien fait.
- Pour travailler une heure ou deux, avec wifi.
- Les enfants adorent le chocolat chaud.
- Pour les brioches à la cannelle de la boulangerie Sweet Lee's de Saint-Henri.
- Pour acheter des grains bio, équitables, fraîchement torréfiés.

Ouvert le matin, le midi et le soir, tous les jours

3632, rue Notre-Dame Ouest, Montréal
514 507-9696
www.sainthenri.ca

Melk

L'autre solution de rechange sérieuse aux grandes chaînes de café sur l'avenue de Monkland, le Melk, est une petite adresse sympathique où l'on sert le très bon café de la maison 49th Parallel de Vancouver. Ici, le menu est simple. Il y a du café, du café et du café. Quelques boissons fraîches aussi, notamment les sodas Boylan. Des biscuits, des muffins et d'autres confections maison, dont certains sans gluten. Rien de compliqué, mais bien fait. Et on vend des grains de café. La maison est tenue par Dominique Jacques, un ancien d'Arts Café, et Myriam Asselin. C'est elle qui fait les muffins, sur place, ainsi que des biscuits pour chien tout naturels !

Depuis quelque temps, le Melk vend aussi les super beignets de la maison Trou de beigne, des créations éclatées, vraiment sympathiques. Beignes Nutella-banane, matcha, caramel et fleur de sel... Légèrement plus intéressants que Tim...

- Pour un bon café – ne provenant pas d'une chaîne – à Notre-Dame-de-Grâce.

- Pour acheter des bons grains de café.

- Pour les beignets.

Ouvert le matin, le midi et le soir, tous les jours
Ferme tôt en soirée, le samedi et le dimanche

5612, avenue de Monkland, Montréal
514 508-5789
www.melkbaracafe.com

Pikolo

Le Pikolo est une des bonnes adresses de café de la troisième vague à Montréal. L'endroit est minuscule, sur le long comme un couloir, mais avec une jolie petite mezzanine. Le café y est toujours bon, bien fait. Et la sélection de viennoiseries artisanales aussi. On se sent dans ce lieu un peu postindustriel recyclé, comme à New York, Portland ou Seattle. En semaine, le café ouvre à 7 h, donc on peut y aller avant le boulot. Intéressant pour ceux qui travaillent au centre-ville juste à côté. Et c'est à deux pas du Quartier des spectacles et de l'Université McGill.

On n'y va pas en grand groupe, car c'est vraiment tout petit !

- Pour un bon café.

- Pour un petit-déjeuner très simple. Soit seul, soit pour un tête-à-tête amical ou d'affaires. Mais pas de groupe plus nombreux que ça !

 $

Ouvert en journée, tous les jours

3418B, avenue du Parc, Montréal
514 508-6800
www.pikoloespresso.com

Café Névé

J'aime le café Névé, parce que c'est un des rares endroits où l'on sert du très bon café et où l'on peut aussi manger quelque chose de substantiel pour le lunch. Sandwich poulet grillé-bacon-avocat, wraps, salades, soupe à l'oignon gratinée… On adore les biscuits faits sur place, qu'on attrape quand ils viennent à peine de sortir du four. Et le chocolat chaud, préparé soigneusement, riche à souhait.

Le Névé compte maintenant une succursale dans le Mile-End, au rez-de-chaussée d'un immeuble de la rue Saint-Viateur Est.

• Pour un lunch léger et savoureux.

• Pour boire du bon café et traîner devant l'ordinateur.

• Pour les œuvres d'art souvent intéressantes aux murs.

• Pour les biscuits quand ils sortent du four.

$

Ouvert le matin, le midi et le soir, tous les jours

151, rue Rachel Est, Montréal
514 903-9294

150-160, rue Saint-Viateur Est, Montréal

www.cafeneve.com

Caffè In Gamba

Le Caffè in Gamba a été ni plus ni moins le premier, avec Veritas dans le Vieux-Montréal, à lancer l'arrivée du bon café de petites maisons de torréfaction indépendantes post-Starbucks à Montréal. Aujourd'hui il est joyeusement intégré dans le quartier *hipster* du Mile-End, mais il faisait, à l'époque, presque bande à part. Au In Gamba, on prépare bien le café. Cappuccino, macchiato, latte, etc. Décor un peu éclectique, aux airs un peu italiens, un peu viennois. Ma fille fait dire que le chocolat chaud est aussi vraiment bon.

L'été, on prend son café sur la terrasse, sur le trottoir, totalement à l'européenne.

- Pour un bon café à boire sur place ou à emporter.
- On peut traîner en sirotant plusieurs cafés. Il y a Internet.
- Il y a aussi croissants et sandwichs.

$

Ouvert, le matin, le midi et le soir, tous les jours

5263, avenue du Parc, Montréal
514 656-6852
www.caffeingamba.com

Café Myriade

Si je suis au centre-ville, il est certain que je vais faire un détour, quitte à me coincer dans un embouteillage, pour aller chercher un café au Myriade, un lieu toujours plein, toujours très vivant, où le café est toujours pris au sérieux. On aime les cappuccinos, latte, etc., mais aussi le café filtre ou alors préparé avec le système danois Eva Solo. Un lieu pour s'amuser, explorer l'univers du café. Le Myriade vend en outre des grains et toutes sortes de cafetières pour préparer de l'espresso, du café filtre, etc.

Le proprio, Anthony Benda, est du genre à nous tenir au courant de ses arrivages de grains sur Twitter.

- Pour prendre un excellent café toujours bien préparé.
- À deux pas de l'Université Concordia, en plein centre-ville.
- À deux pas du nouveau quartier chinois ouest.
- Très bonnes viennoiseries artisanales.

$

Ouvert en journée, tous les jours

1432, rue Mackay, Montréal
514 939-1717
www.cafemyriade.com

Les suggestions de...

Bartek Komorowski

Bartek Komorowski travaillait comme critique gastronomique à l'hebdomadaire alternatif *Mirror*, jusqu'à sa fermeture récente. C'est donc grâce à lui, pendant bien des années, en lisant ses articles sur un tas de petites adresses cool de cuisines très diversifiées, cachées dans tous les coins de Montréal, souvent asiatiques, que j'ai découvert de nombreux restaurants qu'aujourd'hui j'affectionne. Son journal a fermé, mais Bartek continue d'écrire son blogue, Culinary Propaganda (www.culinarypropaganda.com), et je le suis sur Twitter (@SzefBartek) pour savoir à quelle table il est rendu. Je lui ai demandé où on était le plus susceptible de le croiser ces jours-ci...

FALAFEL FREIHA

« Dans un petit local délabré dans un coin oublié de Chomedey, j'ai trouvé les meilleurs falafels. Frites en petites quantités toute la journée, les boulettes de pois chiches et de gourganes sont toujours très croquantes. On les mange garnies de tomates, de navets marinés, d'une poignée généreuse de persil haché et d'une sauce onctueuse au tahini. »

3858, boulevard Perron, Laval / 450 686-2446

CHEZ APO

« Cette boulangerie arménienne se spécialise dans les lahmajouns, une pizza arménienne composée d'une pâte presque aussi mince qu'une feuille de papier, garnie d'un mélange de bœuf haché, de tomates, d'oignons et de fines herbes, et cuite rapidement dans un four à bois. De loin les meilleures lahmajouns à Montréal. »

420, rue Faillon Est, Montréal / 514 270-1076

KRAZY KRIS

« Ici, on propose des produits russes et d'autres pays de l'ex-URSS : pains, pâtisseries et charcuteries typiques, et sélection impressionnante de poissons fumés. »

4751, avenue Van Horne, Montréal / 514 733-8455

BOUCHERIE ABU-ELIAS

« Une boucherie libanaise avec un comptoir de prêts-à-manger où on trouve un grand éventail de viandes marinées et de saucisses typiquement libanaises, grillées sur le charbon de bois et servies dans des pains pitas. Le local a tout le charme d'une gare d'autobus au Moyen-Orient, mais les sandwichs sont délicieux.

P. -S. Essayez leur houmous invraisemblablement crémeux. »

733, boulevard de la Côte-Vertu, Montréal / 514 747-7754

QING HUA

« C'est la troisième succursale du spécialiste des raviolis chinois (dumplings). On y trouve quelques raviolis différentes de celles servies dans les succursales de la rue Lincoln et du boulevard Saint-Laurent : les xia long boa, remplies de viande et de soupe et cuites à la vapeur, une spécialité de Shanghai, et les jiaozi, remplies de viande, cuites à la vapeur et frites. »

1909, rue Sainte-Catherine Ouest, Montréal / 514 846-8886

MARVEN'S

« Ce restaurant grec de quartier a un décor un peu années 70. Toujours plein à craquer, au point où on doit souvent partager une table avec des inconnus. La spécialité : les calmars frits, cuits parfaitement et servis en portions gargantuesques. Les viandes grillées sont bonnes aussi, surtout les côtelettes d'agneau. »

880, avenue Ball, Montréal / 514 277-3625

COREEN

« Spécialisée en produits coréens et japonais, cette épicerie propose toutes sortes d'ingrédients rares qu'on ne trouve pas dans les grandes surfaces généralistes ni même dans les supermarchés asiatiques. »

6151, rue Sherbrooke Ouest, Montréal / 514 487-1672

BOUCHERIE ATLANTIQUE

« Cette boucherie est spécialisée en charcuteries typiquement allemandes et autrichiennes, préparées entièrement sur place. On y trouve une grande sélection de produits importés d'Europe centrale. Des repas chauds sont servis à l'heure du lunch, incluant un savoureux rôti de porc les lundis. »

5060, chemin de la Côte-des-Neiges, Montréal/514 731-4764
www. boucherieatlantique. ca

RESTOS DE QUARTIER

Le St-Urbain

Le St-Urbain fait partie de ces rares restaurants qui ont réussi, à eux seuls, à lancer la transformation d'un quartier. Depuis que le restaurant est là, ce tronçon de la rue Fleury s'est amélioré et est recherché. Convivial, chaleureux, le St-Urbain propose une riche cuisine du marché, généreuse. On aime le crabe à carapace molle frit en saison, l'agneau braisé, les poissons dont on sait qu'ils seront écologiquement corrects puisque le St-Urbain a été l'un des premiers à Montréal à adhérer au programme Oceanwise, qui aide les restaurants à servir uniquement des produits de la mer durables. On peut choisir le menu dégustation avec un accord mets et vins au verre, sur mesure.

La carte est écrite sur un tableau noir, car le menu n'a rien de fixe et suit les saisons et les arrivages. Carte des vins remplie d'importations privées, intéressantes, à prix raisonnables. Plusieurs possibilités au verre.

• Atmosphère animée, lieu assez bruyant.

• Restaurant de quartier néanmoins fort agréable.

• Terrasse à l'avant.

• On peut y aller autant pour un tête-à-tête – mais décibels élevés – qu'avec des amis ou la famille.

• Pour être sûr de manger du poisson écologiquement correct.

$$

Ouvert le midi, du mardi au vendredi
Ouvert le soir, du mardi au samedi
Fermé le dimanche et le lundi

96, rue Fleury Ouest, Montréal
514 504-7700
www.lesturbain.com

Le Comptoir gourmand

Il y a les sushis de Hamachi, Le Lionel qui sert une cuisine correcte. Mais de façon générale, Boucherville ne compte pas des tonnes de restaurants fins. Ici, on peut faire les courses pour cuisiner à la maison, on peut aussi acheter des repas à emporter. Ou alors on peut carrément manger sur place des plats de cuisine française traditionnelle de bistro. On aime les braisés, les salades, les charcuteries. Installé dans un petit complexe commercial de la rue Lionel-Daunais où sont regroupés plusieurs établissements, le lieu est dégagé, moderne. Et l'accueil, sympathique.

La sélection de chocolats a été faite soigneusement. Pour ceux, comme moi, que ça intéresse.

- Pour un lunch d'affaires dans ce coin.

- Pour emporter le souper à la maison.

- Pour amateurs de cuisine française.

- Pour manger sur la terrasse quand arrivent les beaux jours.

$ ou $$

Ouvert en journée, tous les jours
Ferme tôt en soirée

1052, rue Lionel-Daunais, Boucherville
450 645-1414

Le Valois

Lorsque j'ai interviewé le maire Denis Coderre durant la campagne électorale municipale, il m'a emmenée manger au Valois, place Simon-Valois, dans Hochelaga-Maisonneuve. Le maire — il était encore seulement candidat à l'époque, en fait — a mangé un tartare de canard aux noix de pin en entrée, commande spéciale auprès du chef, et un risotto en plat, avec baba au rhum et à l'ananas en dessert. Un des meilleurs babas en ville. J'ai pris une petite salade verte toute simple en entrée, mais qui était drôlement délicieuse, avec des radis et une vinaigrette à l'huile de noix et au soja. Puis un maquereau poêlé à la cuisson impeccable, avec du maïs. Pendant tout le repas, on s'est fait interrompre. M. Coderre était un peu chez lui. Le Valois est un lieu comme ça. Un vrai restaurant de quartier où tout le monde se connaît. Ou est sur le point de se connaître.

Le Valois est un des restaurants aménagés par l'architecte feu Luc Laporte, qui est aussi derrière l'Express, le Laloux, le Lux et de nombreux autres lieux emblématiques du Montréal des années 80.

• Pour un bon repas quand on est dans l'est de la ville.

• Pour un tête-à-tête discret, en retrait du centre-ville.

• Pour le baba.

$$

Ouvert le matin, le midi et le soir, tous les jours

25, place Simon-Valois
514 528-0202
www.levalois.ca

Café Zéphyr

J'ai connu la Ferme du Zéphyr il y a une éternité, quand je commandais ses produits bio que le fermier Stephen Homer venait, à l'époque, livrer à domicile. J'ai été absolument ravie d'apprendre qu'il ouvrait un restaurant avec sa conjointe à Notre-Dame-de-Grâce, tout juste à côté de La Coop La Maison Verte, une institution appréciée des granos et autres épicuriens pronature qui adoreront probablement aussi le café Zéphyr. Parce que les plats salés — sandwichs, salades, etc. — du lunch et du brunch sont préparés en grande partie avec les légumes de la Ferme du Zephyr. Et parce que le chef qui est en train de mettre le restaurant sur les rails est nul autre que Marc-André Cyr, un ancien de chez Olive et Gourmando. On adore déjà ses scones. Et ses rochers à la noix de coco. Oh !

Je ne suis pas du tout une amatrice de jus verts préparés avec du chou frisé et je ne sais trop quels ingrédients qui sont censés être bons pour la santé, mais qui font que le jus en question goûte le fourrage. Toutefois, j'adore celui de la Ferme du Zephyr, car on s'assure que ça goûte bon d'abord et avant tout. Excellente nouvelle.

• Pour un petit-déjeuner sur la terrasse.

• Pour un lunch ou pour le brunch.

• Pour les scones et les rochers à la noix de coco.

$

Ouvert en journée, du mardi au dimanche
Brunch le samedi et le dimanche
Fermé le lundi

5791, rue Sherbrooke Ouest, Montréal
514 369-3001

Bishop & Bagg

Il y a beaucoup de restaurants dans le Mile-End qui pourraient être considérés comme des restaurants de quartier dans le sens convivial et réconfortant du terme. J'ai choisi le Bishop & Bagg, car il m'a fait penser un peu au bar de *Cheers* avec sa déco tout en bois foncé, son bar imposant et son style pub *british*. On y sert une cuisine d'inspiration britannique, d'ailleurs, qui intègre des ingrédients comme le raifort, le sherry, le cheddar. Côté drinks, on met de l'avant la bière et une impressionnante variété de whiskys. L'été, il y a quelques tables sur une petite terrasse.

Le nom du resto-pub a des racines historiques. On veut rendre hommage aux évêques – *bishops* – qui ont veillé sur la ville et fait venir ici les clercs de Saint-Viateur – le nom de la rue. Bagg est le nom d'un grand propriétaire terrien du Mile-End.

- Pour prendre une bière avec les copains, et une bouchée tant qu'à y être.

- Pour amateurs de whisky.

$$

Ouvert le midi et le soir, tous les jours
Brunch le samedi et le dimanche

52, rue Saint-Viateur Ouest, Montréal
514 277-4400
www.bishopandbagg.com

Dépanneur Le Pick Up

Restaurant? Casse-croûte? Dépanneur? Le Pick Up est en fait un vieux dépanneur semi-transformé par une bande d'artistes qui ont réussi à l'ouvrir aux nouveaux venus du quartier et à garder la confiance de ceux qui le fréquentent depuis toujours. On y mange des sandwichs, des salades, des biscuits maison... Il y a toujours une option végétalienne. Pour prendre un verre, par contre, on va à l'autre adresse des mêmes proprios : l'Alexandraplatz. Très cool, très populaire, très indie. À surveiller : le site Internet du Dépanneur où l'équipe annonce ses projets et événements spéciaux, comme des ateliers sur l'art de découper un poulet ou des repas inédits avec des chefs invités.

Pionnier de la transformation du quartier Mile-Ex, le Dépanneur Le Pick Up ressemble à la fois à une adresse *hipster* totalement tendance et à un commerce authentique des années 50.

• Pour un repas tout simple, pas cher et surprenant.

• Pour des événements spéciaux, très alternatifs.

• Atmosphère très cool.

• Quelques tables à pique-nique installées à l'avant et à l'arrière du dépanneur permettent de manger *al fresco*.

• Pour manger et faire quelques courses très basiques de... dépanneur.

$

Ouvert le matin, le midi et le soir, tous les jours
Ferme tôt du dimanche au mardi

7032, rue Waverly, Montréal
514 271-8011
www.depanneurlepickup.com
www.alexandraplatzbar.com

M sur Masson

Millefeuilles d'escargots, frisée aux lardons et à l'œuf poché… C'est la cuisine française roborative, savoureuse, réconfortante, que met de l'avant ce restaurant de quartier qui été rénové pour que l'endroit soit maintenant tout ouvert. Le chef Maxim Vadnais essaie en outre de travailler le plus possible les produits régionaux, même si les profiteroles sont à la fleur d'oranger, et qu'un ananas caramélisé au rhum agricole se glisse sur la carte des desserts. Y a-t-il quelqu'un pour s'en plaindre ? La maison offre aussi un service de traiteur.

Un des propriétaires est un collectionneur d'art et y expose parfois de très grands maîtres. Wow !

- Pour un repas avec des amateurs de cuisine française classique.
- On peut y emmener ses beaux-parents âgés et autres convives qui ne veulent pas être trop, trop surpris par le contenu de leurs assiettes.
- Pour le brunch le dimanche.
- Pour la terrasse.
- Un bon restaurant dans un quartier qui bouge.

$$ et $$$

Ouvert le midi, du lundi au vendredi
Ouvert le soir, du lundi au samedi
Brunch le dimanche

2876, rue Masson, Montréal
514 678-2999
www.msurmasson.com

176

Primi Piatti

J'ai quelques amis qui habitent Saint-Lambert et ils adorent tous le restaurant Primi Piatti, qui est plus qu'une bonne table. C'est un lieu de retrouvailles, un carrefour pour cette jolie banlieue aux vieilles pierres et rues boisées, aux airs villageois. Poulpe grillé, carpaccio, mozzarella *di Bufala*, pizza, risotto. Les classiques italiens sont au rendez-vous, préparés peut-être pas toujours parfaitement, mais toujours savoureusement. On aime aussi la carte des vins qui contient beaucoup de crus du pays du barolo et du chianti, dont une grande partie est offerte au verre.

Une des forces de ce restaurant, ce sont ses pizzas cuites dans un four à bois.

• Pour une table de quartier.

• Pour une cuisine bien faite avec de bons produits.

• Il ne faut pas oublier de réserver.

$$

Ouvert le midi, du lundi au vendredi
Ouvert le soir, tous les jours

47, rue Green, Saint-Lambert
450 671-0080
www.primipiatti.ca

177

Deli Snowdon

Oubliez Schwartz's, disent les puristes. Le vrai comptoir à smoked meat à Montréal, c'est le Deli Snowdon, ou Snowdon Del' comme l'appellent les habitués, loin des touristes. Le restaurant n'a pas le charme vieillot des commerces restés à leur état premier, puisqu'il a été rénové dans les années 90. Mais l'atmosphère n'a pas changé, pas plus que le menu ni la viande fumée, tendre à souhait, surtout si on la commande *medium*, pas maigre. On peut aussi y acheter de la viande fumée à emporter ou même des sandwichs de fête au pain de mie, sans croûte, aux œufs ou au poulet. Le lieu est tellement typique qu'un jeune vendeur de lunettes montréalais, Corey Shapiro, s'en est inspiré pour lancer une gamme de grosses montures, comme celles portées par les hommes d'affaires prospères qu'il y croisait dans les années 80 avec son grand-père !

Déconseillé pour un rendez-vous romantique, vu les néons. Mais excellente adresse pour *hipsters* en quête de moments décalés.

- Plus d'espace que chez Schwartz's, moins d'attente pour avoir une table.

- Excellent smoked meat. Et soupe au matzoh.

- On mange sur place ou on commande pour emporter.

- Ne pas oublier de prendre la viande *medium* pour l'effet moelleux.

$

Ouvert le matin et le midi, tous les jours
Ferme tôt en soirée

5265, boulevard Décarie, Montréal
514 488-9129
www.snowdondeli.com

Tripes & Caviar

Comme son nom le laisse entendre, Tripes & Caviar est un restaurant qui propose de donner aux abats leurs lettres de noblesse. C'est pratiquement tout ce qu'il y a au menu. Mais c'est bien fait et amusant. Os à moelle grillé, servi avec du gros sel et des escargots, cervelle en pop-corn, tomates ancestrales avec *burrata* – mozzarella farcie à la crème – et porchetta di testa maison – charcuterie de tête de porc en gelée –, queue de porcelet braisée et laquée dans le miso, joue de truie braisée avec poireaux vinaigrette… On ressort de cet immense lieu rustique surtout heureux et repu. Un grand repas ? Non. Mais un repas sympa. Le genre de lieu où l'on va en groupe pour célébrer un anniversaire, un retour ou juste pour le plaisir d'être avec les copains. À un prix raisonnable.

Le lieu n'a aucune prétention et est vaste, avec des tables de bois, sans nappe. À l'avant, il y a une platine où l'on est invité à venir faire tourner des disques. Il y a aussi un bar où l'on peut traîner quand on est seul ou deux et qu'un repas à table semble trop formel.

• Pour le plaisir de manger des abats.

• On mange seul au bar.

• On arrive en gang, il y a de la place.

• Pour un repas très convivial et abordable, entre amis.

$ et $$

Ouvert le soir, du mercredi au dimanche
Brunch le dimanche
Fermé le lundi et le mardi

3725, rue Wellington, Montréal
514 819-1791
www.tripesandcaviar.com

Titanic

J'ai commencé à aller chez Titanic à une époque où il était pratiquement le seul restaurant moderne du Vieux-Montréal, perdu dans une mer de pièges à touristes et de tables françaises d'un autre temps, prisées par les avocats et autres juristes du palais de justice. Aujourd'hui, entre Les 400 Coups et le Tapas,24, Hambar et Olive et Gourmando ou Graziella et Ikanos, le Vieux-Montréal compte de nombreuses excellentes tables. Mais le Titanic demeure pour moi le petit resto classique du Vieux, qui ne change pas et n'incarne aucune mode. J'y mange toujours la même chose : les légumes travaillés en antipasti — un peu chers, mais uniques —, les soupes costaudes en automne et en hiver, le gâteau aux carottes. J'adore ce gâteau, probablement le meilleur en ville.

Si Olive et Gourmando est archiplein, on peut remonter la rue Saint-Pierre et aller chez Titanic. Autre idée : aller au DHC-ART, la super galerie privée à deux pas de là, pour voir une expo et ensuite aller chercher un lunch au Titanic avant de repartir au bureau.

- Pour un repas végétarien savoureux, l'assiette d'antipasti, un peu chère, mais savoureuse.

- Pour le gâteau aux carottes et celui au chocolat.

- Pour les soupes costaudes en hiver.

- L'attente peut être longue quand on commande pour emporter, donc vaut mieux appeler avant.

$

Ouvert le matin et le midi, du lundi au vendredi
Fermé le samedi et le dimanche

445, rue Saint-Pierre, Montréal
514 849-0894
www.titanicmontreal.com

180

Huis Clos

Le quartier Villeray est en pleine transformation et compte de plus en plus de petites tables sympathiques où l'on a envie de se retrouver pour prendre un repas simple avec des amis qui sont aussi nos voisins ou en tête-à-tête informel. Parmi les lieux devenus des rendez-vous pour la jeunesse du quartier, il y a le Huis Clos, un bar très vivant où l'on sert une cuisine plus que correcte. C'est bruyant, c'est animé, ce n'est pas de la haute gastronomie, mais c'est bien mieux que des tas de bars qui ont toutes sortes de prétentions. On aime la salade de fenouil au chèvre frais avec compote de sureau, la porchetta maison, les huîtres… À corriger : le choix de vins au verre décevant. La bière est un meilleur choix.

Dans la rue, on a mis quelques tables pour les fumeurs, et l'endroit devient aussi une terrasse pour les beaux jours.

- Pour prendre un verre et une bouchée avec les copains.
- Pour juste un verre.
- Pour les huîtres.
- Musique forte, ambiance très animée.
- Pas loin du parc Jarry et du stade Uniprix, donc on peut s'y arrêter pendant la coupe Rogers.

$$

Ouvert le soir, tous les jours

7659, rue Saint-Denis, Montréal
514 419-8579
www.huisclos.ca

Les suggestions de…

Kim Thúy

J'ai connu l'écrivaine sans le savoir, il y a 10 ans, en savourant sa cuisine. Elle avait un petit restaurant vietnamien contemporain dans la rue Notre-Dame, Ru de Nam, là où est aujourd'hui le Liverpool House. Sans lui avoir jamais parlé, j'étais tombée amoureuse du lieu et des plats. À la fois très exotiques, totalement actuels.

L'auteure des livres *Ru* et *Mãn*, qui est arrivée au Québec à la fin des années 70, comme réfugiée, aime bien manger. De tout. Comme elle habite la Rive-Sud, je lui ai demandé quelles étaient ses bonnes adresses de ce côté-là de la métropole. Voici ce qu'elle m'a répondu.

HARTLEY GLACES ET CHOCOLATS

« C'est un de seuls glaciers qui offrent la saveur chocolat-orange, la préférée de mon fils aîné. Évidemment, il y a aussi les classiques, mais comment passer à côté de boutons de rose, abricot-safran, fraise-réglisse. Ils sont grandement responsables de mes kilos en trop. En plus, c'est un peu notre seconde résidence parce que mon fils autiste y est reçu comme un prince. »

670, avenue Victoria, Saint-Lambert / 450 671-9671
www.chocolaterie-hartley.com

DUR À CUIRE

« Une cuisine contemporaine, jeune, avec une signature très claire… Tout ça à deux coins de rue de chez moi. Je suis une adepte des gnocchis. Chaque fois que je vois le mot écrit sur un menu, j'en commande, c'est inévitable. J'ai mangé pas mal de gnocchis dans ma vie, mais je n'en avais jamais mangé à l'encre de seiche ! C'était la jouissance ! Je me suis retenue pour ne pas faire comme le personnage de Meg Ryan dans *When Harry met Sally*. Bref, j'y vais autant le midi que le soir, et l'effet *oumf* est au rendez-vous chaque fois. »

219, rue Saint-Jean, Longueuil / 450 332-9295
www.duracuire.ca

DE FAÇON GÉNÉRALE, LES TERRASSES
DE LA RUE SAINT-CHARLES À LONGUEUIL.

« Le centre-ville du Vieux-Longueuil est très joli, avec beaucoup de terrasses et un parc vintage très animé. »

GINZA

« On y commande le bento pour le souper toutes les deux semaines, c'est cyclique. Rien qui surprend. Mais tout est bien fait, frais et maison. Le resto n'a pas plus de 10 places, je crois, alors le service est plus que personnalisé. Les propriétaires reconnaissent leurs clients au téléphone ! »

326, rue Saint-Laurent Ouest, Longueuil / 450 674-6722
www.sushilongueuil.com

L'AMOUR DU PAIN

« Le samedi matin, en saison : carré fraise-rhubarbe. Ça sonne tout simple, mais mon Dieu ! Quel délice ! Mon mari ne jure que par leurs pains, alors c'est un parcours obligé le samedi matin, avant le café. »

393, rue Samuel-De Champlain, Boucherville / 450 655-6611
www.lamourdupain.com

LA CHARCUTERIE DU VIEUX-LONGUEUIL

« Ils ont le meilleur jambon au MONDE ! Il est cuit pendant 14 heures dans de la bière, si je ne me trompe pas. C'est carrément démentiel, même pour quelqu'un qui n'aime pas beaucoup le jambon en général. »

93, rue Saint-Charles Ouest, Longueuil / 450 670-0643
www.cdvl.ca

TOROLI

« À Montréal, je recommande Toroli, sur le Plateau : de la sublime cuisine japonaise contemporaine. On a l'impression d'être au Japon, dans une adresse gardée secrète. »

421, rue Marie-Anne Est, Montréal / 514 289-9292
www.toroli.com

Photo : Cato Lein

OÙ FAIRE LES COURSES ? MES COUPS DE CŒUR

Latina

J'ai commencé à aller faire mes courses dans cette épicerie dans les années 80 et c'était déjà un lieu de retrouvailles dans le quartier. Depuis, Latina s'est modernisée, embourgeoisée, mais demeure un lieu exceptionnel qui offre une très belle sélection de produits de grande qualité. On y va pour les fruits et légumes, pour les plats préparés, pour la boucherie, pour trouver des produits spécifiques comme les superbes produits laitiers de la Société-Orignal. De plus, on peut s'asseoir à une petite terrasse pour manger un plat préparé ou un sandwich acheté à l'épicerie.

Très belle sélection de chocolats, de fruits et légumes, de pâtes... Le genre d'épicerie qui permet de ne s'arrêter qu'une fois et de tout trouver sur place.

• Pour des fruits et légumes de qualité.

• Pour des plats préparés à rapporter à la maison ou à manger sur le pouce.

• Pour des sandwichs minute.

• Pour manger, sur la terrasse l'été, un lunch acheté à

l'épicerie.

---

7 h à 21 h, lundi – vendredi
7 h à 20 h, samedi
8 h à 20 h, dimanche

185, avenue Saint-Viateur Ouest, Montréal
514 273-6561
www.chezlatina.com

Les Douceurs du Marché

J'adore cette épicerie où je retourne sans cesse, semaine après semaine, année après année. Ici, je trouve mes pâtes préférées, les Garofalo ; mes confitures préférées, celles de Georges Grall ; mon *ginger ale* préféré, celui de Bruce Cost. Les produits sont triés sur le volet, il y a des dizaines et des dizaines d'huiles d'olive et de vinaigres, et toutes sortes de crèmes de pistaches sucrées et d'épices de bonne qualité. J'adore poser des questions aux vendeurs et aux propriétaires qui connaissent vraiment très bien leurs marchandises et les produits de partout dans le monde. À quand, d'ailleurs, les panettones Torreblanca ?

On y trouve des vinaigres balsamiques et des confitures de poire vanillée, mais il y a aussi toutes sortes de sauce mole mexicaine et d'épices rares.

- Pour faire le plein de pâtes, de confitures et d'huiles d'olive venues de partout.

- Beaucoup d'importations, mais aussi des produits fins locaux, comme du sirop d'érable de bonne qualité.

- Plusieurs produits exotiques pointus, dont on a parfois besoin dans des recettes.

---

8 h 30 à 18 h, lundi – mercredi
8 h 30 à 19 h, jeudi – vendredi
8 h 30 à 17 h, samedi – dimanche

138, avenue Atwater, Montréal
514 939-3902

Gourmet Laurier

J'adore le Gourmet Laurier pour plusieurs raisons, mais je crois que la première est la sélection de chocolats fins. Ensuite, les huiles. Puis le café fraîchement torréfié et tous les produits fins importés, qui vont de la tapenade aux sablés au thon et aux sardines en conserve. Et il y a, évidemment, le comptoir de charcuteries et de fromages où l'on peut commander des sandwichs. J'aime aussi, étrangement, la sélection de produits ménagers français, que je fréquente rarement, mais où je me réfugie quand j'ai envie d'un savon à vaisselle qui me rappellera, par son parfum, mon année d'études à Paris.

Au départ, le Gourmet Laurier s'appelait Van Houtte, et on y allait pour le café, torréfié sur mesure, un pionnier à Montréal.

• Pour attraper un sandwich à la française.

• Pour les produits importés, surtout français.

• Pour la belle sélection de charcuteries françaises classiques.

• Pour le café en grains.

• Une bonne adresse pour les amateurs de conserves fines.

---

9 h à 19 h, lundi – mercredi
9 h à 21 h, jeudi – vendredi
9 h à 18 h, samedi
12 h à 17 h 30, dimanche

1042, rue Laurier Ouest, Montréal
514 274-5601
www.goumetlaurier.ca

Maître Boucher

Nichée avenue de Monkland, au cœur de Notre-Dame-de-Grâce — quartier peu connu pour sa gastronomie —, cette boucherie-épicerie est une destination refuge. On en voudrait tous une près de chez soi, car il y a de tout : de la viande de bonne qualité, des charcuteries, une sélection exceptionnelle de fromages, des fruits et légumes, des produits locaux et importés. On peut même y trouver plusieurs plats prêts à manger : quiches, soupes, mijotés, desserts, etc.

Les prix ne sont pas les plus bas en ville, mais, lorsqu'on s'arrête dans ce genre de lieu, on achète moins et peut-être qu'on gaspille moins...

- Pour un arrêt épicerie unique : pain, viande, légumes, etc.
- Pour des produits importés et des produits régionaux.
- Belle sélection de fruits et de légumes frais de qualité.

---

8 h 30 à 19 h, lundi — mercredi
8 h 30 à 20 h, jeudi
8 h 30 à 21 h, vendredi
8 h 30 à 17 h, samedi
10 h à 17 h, dimanche

5719, avenue de Monkland, Montréal
514 487-1437
www.lemaitreboucher.com

Milano

Je fréquente cette épicerie italienne depuis des décennies. À Montréal, c'est un des endroits qui me rappellent le plus l'Italie. La sélection de tomates en conserve, de pâtes, d'huiles est impressionnante. On y trouve tout pour tous les plats italiens qu'on a envie de cuisiner. En septembre, on nous y attend même avec des étalages déjà prêts pour nous aider à faire du pesto. C'est à peine si on ne met pas des flèches dès l'entrée, pointant vers les noix de pin ou le pecorino.

Si vous revenez d'Italie et que la nostalgie vous tenaille, allez y faire un tour pour acheter de la burrata ou du prosciutto crudo importé.

- Pour la variété des étalages d'huiles d'olive, de tomates, de pâtes.

- Pour trouver des produits d'épicerie typiquement italiens, même du savon, et avoir un peu l'impression d'être en Italie.

- Attention, le samedi, il y a beaucoup de monde.

8 h à 18 h, lundi – mercredi
8 h à 21 h, jeudi – vendredi
8 h à 17 h, samedi – dimanche

6862, boulevard Saint-Laurent, Montréal
514 273-8558
www.milanofruiterie.com

Le Garde-manger italien

J'adore m'arrêter au Garde-manger italien de l'avenue de Monkland pour faire semblant de savoir bien parler italien avec le très patient et nouveau caissier d'origine romaine. En plus, la focaccia est bonne, le choix de pâtes aussi, et on y trouve toutes sortes de solutions repas clé en main de type lasagne et sauce prête à jeter sur des pâtes. Cette épicerie compte en outre une sélection intéressante de fromages, dont la fameuse *burrata*, qui n'est offerte que quelques jours par semaine.

On aime notamment les pizzas diverses à acheter en morceaux, ou alors s'y arrêter pour faire les courses et trouver quelque chose pour assouvir l'appétit d'un enfant après l'école...

- Pour acheter quelque chose à manger sur le pouce.

- Pour faire les courses et remplir un panier à pique-nique l'été.

- Pour acheter le souper.

---

10 h à 18 h 30 lundi – samedi
11 h à 16 h, dimanche

6132, avenue de Monkland, Montréal
514 886-6601
www.gardemangeritalien.ca

Drogheria Fine

J'aime beaucoup le graphisme rétro et le style *shabby* chic de ce tout petit commerce du Mile-End où l'esprit qui plane est celui de l'Il Piatto della nonna, où le propriétaire, Franco Gattuso, a travaillé pendant 15 ans. Installée tout près de la boulangerie de bagels de la rue Fairmount, cette boutique propose des produits italiens typiques : huiles, sauces déjà préparées, lasagne à emporter… La liste est courte, mais tout ce qu'on trouve est savoureux, bien fait, à l'italienne.

Pour tous ceux qui n'ont pas de *mamma* dans leur famille pour leur cuisiner lasagne, sauce tomate, etc.

- Pour les plats préparés, comme les lasagnes ou sauces en pot.
- On trouve les produits de la Drogheria Fine dans plusieurs autres épiceries à Montréal.
- Pour trouver des produits à offrir aux parents surmenés.

---

10 h à 18 h, lundi – vendredi
10 h à 17 h, samedi – dimanche

68, avenue Fairmount Ouest, Montréal
514 588-7477

180, rue Beaubien Est, Montréal
514 843-6069

Akhavan

Dans ma liste d'épiceries préférées, il y a aussi très haut le supermarché Akhavan, un commerce perse indépendant de la rue Sherbrooke Ouest à Notre-Dame-de-Grâce, qui a conservé le cachet d'authenticité qu'Adonis n'a plus complètement. Le comptoir de noix y est spectaculaire, tout comme l'étalage d'olives et celui de baklavas. J'adore les allées remplies d'huiles, d'épices, de pains moyen-orientaux. On peut acheter tout ce qu'il faut pour un repas presque prêt à manger : des viandes marinées prêtes pour le barbecue, des salades d'aubergine, de l'houmous, des légumes frais...

Il y a aussi un petit comptoir pour manger sur place.

- Pour trouver tout ce qu'il faut pour préparer un repas moyen-oriental.

- Moins achalandé et plus authentique, selon moi, qu'Adonis.

- Parking sur le côté.

- Il y a aussi une succursale à Pierrefonds.

---

8 h à 20 h, lundi – vendredi
8 h à 18 h, samedi – dimanche

6170, rue Sherbrooke Ouest, Montréal
514 485-4887

15 760, boulevard Pierrefonds, Pierrefonds
514 620-5551
akhavanfood.com

Aliments Miyamoto

Ici, on ne fait pas que vendre des aliments, on s'y connaît en cuisine asiatique en général, et japonaise en particulier. Demandez-leur de vous conseiller, et si le produit requis par un livre de recettes n'est pas sur place, on vous proposera un substitut. Et est-ce nécessaire de préciser que les amateurs de sushis qui aiment cuisiner y trouveront tout ce qui leur faut ? Algues séchées, flocons de tempura... Et les amateurs d'udon et de ramen seront ravis de savoir qu'on peut y acheter des nouilles en tous genres.

Si vous revenez d'un voyage au Japon et que vous avez envie de vous replonger un petit peu dans l'univers bien particulier des épiceries nippones, avec les biscuits pour enfants aux emballages de mangas et les mille nouilles soba, un arrêt s'impose.

- Pour acheter des ingrédients spécifiques pour des recettes japonaises ou coréennes.
- Pour découvrir de nouveaux produits.
- Pour la sélection d'algues et de nouilles.

10 h à 19 h 30, lundi – vendredi
10 h à 17 h, samedi – dimanche

382, avenue Victoria, Montréal
514 481-1952
www.sushilinks.com/miyamoto

Boucherie Lawrence

Petite sœur du restaurant Lawrence, la Boucherie Lawrence est une des premières boucheries nouvelle génération à Montréal à s'afficher résolument en faveur des produits locaux, naturels et artisanaux. On a même peint une grande carte du Québec sur le mur, histoire de pouvoir expliquer aux clients d'où viennent les différentes viandes vendues sur place. Ici, on peut acheter un steak vieilli ou des abats. On peut aussi commander un excellent sandwich et le manger sur la table centrale. Sandwich à la saucisse, aux œufs et au bacon… Vaut le détour.

Les boucheries indépendantes, spécialisées dans la viande de grande qualité, bio, ne sont pas légion à Montréal, alors qu'elles sont devenues super populaires à Brooklyn, New York, ou à Portland, Oregon.

• Pour acheter de la viande.

• Pour acheter un sandwich.

• Pour manger une bouchée sur place.

---

9 h à 19 h, mardi – vendredi
10 h à 18 h, samedi – dimanche
Fermé le lundi

5237, boulevard Saint-Laurent, Montréal
514 277-8880
www.boucherielawrence.com

Olive et Olives

J'adore m'arrêter dans une des succursales de cette minichaîne d'épiceries hyper spécialisées où l'on trouve d'abord et avant tout de l'huile d'olive. Beaucoup d'huiles d'olive. De toutes origines, de tous les prix. Ici, les vendeurs connaissent leurs produits et peuvent vous expliquer pourquoi on devrait utiliser celle-ci pour la salade et celle-là pour le pesto. On aimerait tous avoir une succursale proche de chez soi, que ce soit pour s'approvisionner ou pour aller acheter des cadeaux.

Ici, on trouve surtout des huiles, mais les jolies étagères et l'aménagement très aéré cachent aussi d'autres produits triés sur le volet : vinaigre, olives entières, tapenades…

- Pour acheter de l'huile d'olive ou d'autres produits connexes, comme des olives en boîte, du vinaigre, etc.
- Pour faire quelques petites courses dans un lieu agréable.
- Pour trouver des cadeaux originaux.

Les heures d'ouverture varient selon les succursales.

3127, rue Masson, Montréal
514 526-8989

7070, avenue Henri-Julien, Montréal
514 271-0001

2888, avenue du Cosmodôme, Laval
450 687-8222

428b, avenue Victoria, Saint-Lambert
450 923-2424

www.oliveolives.com

Le Bar à chocolat

Le Bar à chocolat de Geneviève Grandbois est probablement mon adresse préférée au centre commercial Dix30 à Brossard. L'endroit est vitré, moderne, et on y trouve tous les produits Geneviève Grandbois, comme les tablettes de chocolat ou les bonbons à la ganache, dont mes préférés aux épices chai, à la badiane et au caramel à la fleur de sel. En plus, on peut s'y asseoir pour causer chocolat et... prendre un chocolat. Un chocolat chaud à boire ou alors un chocolat à manger, sous forme de gâteaux, brownies, biscuits, avec un café. Ici, le chocolat chaud est riche, épais, crémeux, comme en Espagne ou en Italie.

On y trouve toutes sortes de produits faciles à offrir en cadeau : chocolats à la ganache ou en tablettes, chocolats de Pâques en saison, caramel en pot, etc.

• Pour un bon chocolat chaud.

• Pour aller chercher des chocolats à offrir à Noël ou à Pâques.

• On y va avec les enfants après une séance de shopping ou avant un spectacle à la salle juste en face.

• Il y a toujours de petits échantillons à essayer...

---

10 h à 18 h, dimanche – mardi
10 h à 21 h, mercredi – vendredi
9 h à 19 h, samedi

Quartier Dix30
9389, boulevard Leduc, Brossard
450 462-7807
www.chocolatsgg.com

Les chocolats de Chloé

Installée à deux pas du Pied de cochon, rue Duluth, la boutique des Chocolats de Chloé est jolie, et tout le packaging des produits l'est aussi. Tant mieux, parce que les chocolats, préparés avec du Valrhona, sont également délicieux. On les fourre de ganaches aux parfums exotiques – litchi, basilic, lait de coco –, on les conjugue en sandwichs glacés et en tablettes... La chocolatière Chloé Germain-Fredette propose des créations d'une grande finesse, préparées de façon totalement artisanale, avec des ingrédients de première qualité. Le bonheur.

On peut y acheter des cadeaux ou se faire un cadeau à soi, sur place, notamment un sandwich à la crème glacée.

- Pour acheter des chocolats à offrir.
- Pour du chocolat de très bonne qualité.
- Pour un petit dessert sur le pouce.

10 h à 18 h, mardi – mercredi
10 h à 20 h, jeudi – vendredi
11 h à 18 h, samedi
11 h à 17 h, dimanche
Fermé le lundi

546, rue Duluth Est, Montréal
514 849-5550
www.leschocolatsdechloe.com

Birri et frères

Contrairement à bien d'autres commerçants du marché Jean-Talon, Birri n'est pas un revendeur de fruits et légumes qui s'approvisionne au Marché Central. Birri est un vrai cultivateur qui vient vendre ses produits au marché Jean-Talon. Ses tomates, son basilic, ses haricots... Il faut y aller à la fin de l'été et durant le mois de septembre, car les étalages de paniers remplis de légumes sont tout simplement magnifiques. On y trouve de tout pour faire de la ratatouille, des sauces tomate et des pestos qu'on congèlera ou qu'on mettra en conserve, pour en manger pendant plusieurs mois.

Birri est installé du côté nord-ouest du marché, dans la section ouverte.

• Pour des produits frais de qualité.

• Pour acheter des légumes en grande quantité.

• C'est un cultivateur, pas un revendeur.

• On y va pour acheter des plants au printemps.

Ouvert tous les jours, selon l'horaire du marché

7075-A, avenue Casgrain, Montréal
514 276-3202
www.birrietfreres.com

199

De farine et d'eau fraîche

J'adore l'esprit du lieu. Très victorien, coquet, féminin. C'est l'identité qu'a voulu lui donner la propriétaire de cette charmante pâtisserie de la rue Amherst, Marilu Gunji. Et l'époque victorienne en est une qui sied bien à tout ce qui est gâteau et sucre. Dans l'assiette également, on joue dans le registre britannique, anglo-saxon plus que français, avec des gâteaux aux carottes ou au fromage et des roulés à la cannelle absolument divins. Le point fort de toutes ces créations sucrées : elles sont aussi belles que bonnes. On peut s'arrêter pour luncher dans ce joli café aux airs de salon de thé, avec soupe, salade, etc. Mais ce sont surtout les desserts qui nous ravissent.

Quelqu'un a envie d'un *cupcake* au thé vert et à la framboise avec crème au lilas ?

• Pour un lunch léger, mais qui se termine tout en sucré.

• Pour une pause dessert ou pour acheter un très joli et bon gâteau à emporter.

• Pour ceux qui cherchent des cadeaux gourmands : biscuits, caramels, etc.

---

7 h 30 à 17 h, lundi – vendredi
10 h à 17 h, samedi – dimanche

1701, rue Amherst, Montréal
514 522-2777
www.dfef.ca

Hof Kelsten

Montréal compte beaucoup de bonnes boulangeries, mais certaines se démarquent encore plus que d'autres, comme celle ouverte par Jeffrey Finkelstein au début de 2014. Ici, on renoue avec les vieilles traditions ashkénazes du boulevard Saint-Laurent, revues et revisitées par un boulanger qui a fait ses classes chez Hibiscus à Londres et chez Oriol Balaguer à Barcelone. Excellent programme ! On achète des pains et d'autres créations boulangères ravissantes — de la baguette au rugelach — ou on grignote un sandwich sur place avec une soupe bien chaude en automne.

Il y a quelques tables pour s'arrêter et luncher. Un peu de bortsch avec ça ?

• Pour acheter du pain.

• Pour un lunch rapide.

• Pour commander un pain pour une occasion spéciale.

---

8 h à 19 h, mercredi — dimanche
Fermé le lundi et le mardi

4524, boulevard Saint-Laurent, Montréal
www.hofkelsten.com

La Bête à pain

La Bête à pain est un traiteur, un boulanger, un pâtissier de la rue Fleury, piloté par Marc-André Royal, aussi propriétaire et chef du restaurant Le St-Urbain, à deux pas. La section boulangerie est particulièrement chouette, avec notamment un pain aux abricots hyper frais, hyper moelleux, exquis. Les salades – concombre, yaourt de brebis et aneth, miam ! – que l'on vend au comptoir sont également fort réussies, tout comme les biscuits aux morceaux de chocolat. Mais mon coup de cœur de l'année ? Les cannelés. Je n'étais pas convaincue, je suis tombée à la renverse !

Au départ, La Bête à pain était un traiteur-boulanger où on s'arrêtait pour prendre des aliments à emporter, mais on peut aussi maintenant rester sur place et manger, car il y a des tables. Le week-end, on propose aussi des brunchs.

• Pour du pain, des sandwichs, des salades à emporter.

• Pour les biscuits et les cannelés.

• Pour un brunch du week-end.

---

8 h à 18 h, mardi – mercredi
8 h à 19 h, jeudi – vendredi
8 h à 18 h, samedi
8 h à 16 h, dimanche
Brunch le samedi et le dimanche
Fermé le lundi

114, rue Fleury Ouest, Montréal
514 507-7109
www.lesturbain.com

Guillaume

La super boulangerie Guillaume a déménagé. Elle est maintenant installée sur le boulevard Saint-Laurent, dans un local beaucoup plus vaste, où il n'y a malheureusement plus de places pour s'asseoir et déguster un sandwich ou une viennoiserie sur place. Qu'à cela ne tienne. Les pains au levain, pains aux noix, écoliers et brioches sont toujours aussi délicieux. Une vraie boulangerie artisanale, qui travaille avec des produits de grande qualité. Et même si vous savez ce que je pense de la folie antigluten, je tiens à préciser qu'ici on utilise également toutes sortes de farines autres que le blé. Épeautre, farine de pommes de terre, seigle, etc. Intéressant.

Même s'il n'y a plus de places pour s'asseoir, on propose encore des sandwichs et des viennoiseries à emporter, bien sûr !

- Pour des produits originaux de qualité.

- Pour des produits sans gluten.

- Pour des sandwichs à emporter, des viennoiseries aussi.

- Pour un cadeau original, si on vous reçoit à manger...

---

7 h à 19 h, mardi – dimanche
Fermé le lundi

5132, boulevard Saint-Laurent, Montréal
514 507-3199
www.boulangerieguillaume.com

Yuki

Je suis présidente du fan-club – avec plusieurs amies et amis coprésidents – de Yuki, cette pâtissière d'origine japonaise, mais qui a fait ses classes à la française et qui s'est installée rue Sherbrooke Ouest, à Notre-Dame-de-Grâce. Mon gâteau préféré : le cake au citron vert, imbibé de sirop à la fois bien sucré et bien suret. J'en rêve la nuit. Mes enfants adorent les *cupcakes* qui sont toujours bons et jolis. Parfois, je choisis des gâteaux de fête décorés sublimement, avec des motifs floraux à la japonaise, et qui sont toujours bien frais et délicieux.

Une adresse originale pour faire faire un gâteau de mariage très joliment décoré de façon à la fois romantique et contemporaine.

- Pour un gâteau à emporter chez des amis ou à la maison si on reçoit et qu'on n'a pas le temps de cuisiner.

- Pour un petit en-cas sucré en plein après-midi.

- On peut manger sur place, il y a même quelques tables sur le trottoir.

---

9 h à 20 h, tous les jours

5211, rue Sherbrooke Ouest, Montréal
514 482-2435
www.yukibakery.com

Fous desserts

J'adore cette pâtisserie qui prépare le meilleur croissant de Montréal — on avait organisé un concours à *La Presse* il y a quelques années ! — et que je suis notamment grâce à son camion de cuisine de rue, le Fou Truck, un des plus originaux en ville. J'adore la galette des Rois au feuilleté sublime que l'on vend dans la boutique de la rue Laurier Est, j'adore les desserts conçus à partir de croissants et vendus dans le camion, comme ce fraisier au basilic dont je ne me suis pas encore remise. La pâtisserie propose, en outre, toutes sortes de gâteaux. À essayer.

Fous desserts est installé dans un bout de la rue Laurier Est qu'on fréquente peu, entre la zone Outremont-Mile-End et la zone Chambord-Papineau, mais le détour en vaut la peine.

• Pour les croissants et la galette des Rois.

• Pour se faire un cadeau sucré en plein après-midi.

• Pour apporter un gâteau chez des amis.

---

7 h 30 à 19 h, mardi – mercredi
7 h 30 à 19 h 30, jeudi – vendredi
7 h 30 à 18 h, samedi
8 h 30 à 17 h, dimanche
Fermé le lundi

809, avenue Laurier Est
Montréal
514 273-9335
www.fousdesserts.com

Les suggestions de…

Louise Latraverse

Comédienne populaire et incontournable, Louise Latraverse est adorable et attachante, une beauté que j'ai toujours immensément de plaisir à croiser pour, notamment, causer restaurants. On se connaît de toutes sortes de façons, mais surtout par des amis communs, dont le grand critique gastronomique Robert Beauchemin, jadis à *La Presse* et *Voir*, qu'elle a longtemps accompagné dans ses découvertes de restaurants.

Louise est une grande cuisinière et une épicurienne qui aime de plus en plus la cuisine légère, savoureuse et végétale, m'a-t-elle confié, avant d'ajouter que ce qui l'énerve le plus dans les restaurants actuellement, c'est le niveau de décibels. « Je n'en peux plus de ne pas entendre ce que les autres disent. On ne peut plus se parler. Ça me fait fuir les restaurants », raconte celle qui affirme prier pour que de nouveaux établissements sans musique et feutrés ouvrent leurs portes.

Reste qu'elle continue d'aller un peu manger à l'extérieur, et voici ses incontournables qu'elle m'a livrés pêle-mêle, en prenant bien soin d'insister : « Il faut que tu dises à quel point je trouve les restaurants trop bruyants ! Les jeunes, ça les attire peut-être encore et encore, mais ça fait fuir vraiment, vraiment des tas de gens. »

AUX LILAS

« De la cuisine libanaise impeccable. Si simple, si sympathique. Les restos branchés m'énervent. J'ai juste envie de restaurants comme Aux Lilas, qui existe depuis toujours. »

5570, avenue du Parc, Montréal / 514 271-1453
www.auxlilasresto.com

L'EXPRESS

« Parce que je ne suis jamais déçue. On peut manger rapidement. Je sais toujours exactement ce que je vais manger. Je ne m'en lasse pas. »

3927, rue Saint-Denis, Montréal / 514 845-5333
www.restaurantexpress.ca

NONYA

« Un autre restaurant exactement comme je les aime. Parfait, pas cher. J'aime beaucoup sa cuisine. De la cuisine indonésienne savoureuse. C'est délicieux. »

151, avenue Bernard Ouest, Montréal / 514 875-9998
www.nonya.ca

BARBOUNYA

« Dans le même quartier, pas loin, j'aime aussi beaucoup BarBounya, le turc. J'aimais d'ailleurs déjà la cuisine de cette chef (Fisun Ercan) qui travaille aussi chez Su à Verdun. »

234, avenue Laurier Ouest, Montréal / 514 439-8858
www.barbounya.com

BOUILLON BILK

« C'est toujours bon. Frais et contemporain. J'y vais tôt, pour qu'il y ait moins de bruit. »

1595, boulevard Saint-Laurent, Montréal / 514 845-1595
www.bouillonbilk.com

BOTTEGA

« Là non plus, je n'y vais pas trop tard, avant le théâtre, pour que ce soit moins bruyant. J'aime beaucoup la pizza, je suis une amatrice de pizza. »

65, rue Saint-Zotique, Montréal / 514 277-8104
www.bottega.ca

MA'TINE

« PJe n'y suis pas encore allée en fait, mais j'adore l'équipe qui vient d'ouvrir ce restaurant sur De Maisonneuve parce que je l'ai connue au restaurant La Famille, rue Gilford. C'était formidable, fabuleux. Je suis folle d'eux. À tomber par terre. »

1310, boulevard De Maisonneuve Est, Montréal / 514 439-9969

QING HUA

« Je vais à la succursale dans la rue Lincoln et à celle sur Saint-Laurent, pour manger leurs dumplings au bouillon. C'est bon, c'est bon, c'est bon. »

1676, rue Lincoln, Montréal / 438 288-5366
1019, boulevard Saint-Laurent, Montréal / 514 903-9887

Photo : Julie Artacho

TOUS LES RESTOS
QUARTIER PAR QUARTIER

Ahuntsic, Cartierville, Saint-Laurent,

Bête à pain (La)	202
Solémer	80
St-Urbain (Le)	170

Boucherville, Longueuil, Saint-Lambert

Comptoir gourmand (Le)	171
Dur à cuire	94
Échoppe des fromages (L')	148
Hamachi	116
Primi Piatti	177

Boulevard Saint-Laurent, Sherbrooke

Café Névé	163
Icehouse	125
Labo culinaire (Le)	92
Pikolo	162
Prato Pizzeria	79
Pullman	39
SoupeSoup	144

Centre-Sud, Hochelaga-Maisonneuve, Village

Arhoma	141
Kitchenette	73
Ma'tine	42
Mezcla	133
Réserve du comptoir (La)	122
Valois (Le)	172

Centre-ville

Biiru	112
Bouillon Bilk	21
Brasserie T!	51
Cacao 70	151
Café Holt	44
Café Myriade	165
Contemporain (Le)	60
Europea	58
Ferreira Café	59
Furco	71
Imadake	114
Kanbai	101
Kazu	113
Laurie Raphaël	23
M : BRGR	84
Mei	98
Monsieur	45
Nora Gray	36
Renoir	62
SoupeSoup	144
Taverne F	132
Vasco da Gama	146

Côte-des-Neiges

Arouch	100
Pushap	110

Laval

Bottega	78

Mile-End, Outremont

BarBounya	131
Barcola Bistro	90
Bishop & Bagg	174
Brasserie Bernard	50
Brooklyn	137
Buvette chez Simone	40
Caffè In Gamba	164
Callao	68
Chronique (La)	56
Damas	134
Filet (Le)	34
Hôtel Herman	35
Jun-I	119
Kem CoBa	155

AUTRES SOLUTIONS

Vous voulez manger quoi au juste ?

De la bonne viande

Des charcuteries

Du poisson et des fruits de mer

Des sandwichs, tacos et autres lunchs portables

Avec qui allez-vous manger ?

On emmène les enfants

Où aller avec ses grands-parents

Pour impressionner un client

Pour un premier rendez-vous galant

Pour un deuxième rendez-vous galant...

Pour la demande en mariage

Pour un souper de gars

Pour un souper de filles

Pour sortir en gros groupe

Qui voulez-vous voir ?

Pour voir la faune intello-artistique

Pour voir les gens de la restauration

Il doit être comment ce restaurant ?

Une belle terrasse

Quand voulez-vous manger ?

Ouvert le dimanche soir

**Pour un petit creux
d'après-midi**

Ouvert le lundi soir

INDEX ALPHABÉTIQUE
DES RESTAURANTS

INDEX ALPHABÉTIQUE DES ÉPICERIES

REMERCIEMENTS

Chaque année, je rouspète une bonne partie du printemps et tout l'été. Trop de restaurants à essayer, trop peu de temps, trop de nouveautés, pas juste des endroits chouettes, d'ailleurs… Je préférerais tant aller chez mes amis, au bord de la piscine, passer tout mon temps libre à la campagne, à manger de la salade…

Tu parles.

J'adore mon travail. J'adore être partout. J'adore ne jamais manger la même chose. J'adore découvrir. J'adore avoir des coups de cœur et, cette année, j'en ai encore eu plusieurs.

Je commence donc ces mercis avec de chaleureuses salutations à tous les chefs, cuisiniers, plongeurs, serveurs, maîtres d'hôtel, sommeliers, producteurs, restaurateurs qui font de Montréal une ville si sympathique, si accueillante, si gourmande. Merci de travailler fort pour nous. J'espère que je vous encourage suffisamment.

Merci aussi à tous ceux qui m'endurent pendant la préparation de ce livre, d'abord mes collègues journalistes en tous genres, des cadres aux rédacteurs, qui doivent composer avec ma nature profonde de *workaholique* désorganisée qui ne sait pas dire non et qui est toujours en retard, partout, tout le temps. Merci à tous ceux, à *La Presse*, qui me permettent de travailler ainsi, qui m'encouragent à voyager, à découvrir et, surtout, qui se battent pour maintenir les normes éthiques garantissant l'indépendance et donc la pertinence du travail des critiques gastronomiques du journal, en commençant par Arianne Krol et moi. Merci à Éric, Mario, Mélanie, Valérie, Alexandre, Stéphanie, particulièrement. Merci à Sophie, Mme Pause, Jean-François et Martin pour leur patience au quotidien. Merci aussi à Martin, David, François, Yannick, et à tous les photographes du journal.

Merci à tous mes amis qui me supportent – dans le sens français du terme, pas celui de l'anglicisme ! – toute l'année, qui viennent au restaurant avec moi, pas ceux de leur choix, qui m'écoutent gâcher leur soirée avec mes remarques sur la nourriture et le service ou le décor, et qui recommencent malgré tout. Merci particulièrement à Sophie, Pascal, Anne-Laure, Christophe, Nathalie, Christine, François, Julie, Geneviève, Claudine, Inès,

Marie-Christine, Pierre, Arlene, Jeanie, Mimi, Éric et Carole… Aussi à ma tante Monique, à ma mère Lyse. J'en oublie sûrement plusieurs qui ont pris leur temps, leur argent et leur bonne humeur pour m'accompagner en terres alimentaires inconnues… Immense merci évidemment à Alexandra Forbes, complice contre vents et marées.

Merci à toute l'équipe des Éditions La Presse qui rend le travail si agréable. Sylvie pour commencer, qui gagne le concours de la patience. Merci à Martine d'avoir été là durant les premières années de ce guide. Merci à Yanick. Merci à Éric et à Carla d'avoir repris le flambeau. Merci à Sandrine, Célia, Sophie, Marie-Pierre. Merci aussi à Caroline, pour sa confiance renouvelée.

Évidemment, je remercie du fond du cœur Rafaële Germain, Kim Thúy, Louise Latraverse, Sophie Banford, Alexandre Taillefer et Bartek Komorowski d'avoir si gentiment et patiemment accepté de me confier leurs adresses préférées.

Finalement, merci à ma petite gang rapprochée, celle qui est le plus souvent le cobaye de mes idées saugrenues et qui m'accompagne parfois dans des restaurants pas mal plus *sketch* que *guiou*, même si de temps en temps, on l'avoue, ça *dead*. Merci du plus, plus profond du cœur à Juliette, Léon, Alice, Patrice. Mes meilleurs repas sont encore et toujours ceux que je prends avec vous.

MARQUIS

Québec, Canada

MIXTE
Papier issu de
sources responsables
FSC® C103567